NELSON MANDELA
UNE VIE EN MOTS ET EN IMAGES

NELSON MANDELA
UNE VIE EN MOTS ET EN IMAGES

« Quand Nelson Mandela
entre dans une pièce,
tout le monde se sent plus fort,
tout le monde a envie de se lever
et d'applaudir, parce que
tout le monde voudrait
être comme lui. »

Bill Clinton

INTRODUCTION

 n 1988, l'archevêque Trevor Huddleston, président du Mouvement anti-apartheid et vieil ami de Nelson Mandela, suggéra de célébrer dignement le 70ᵉ anniversaire du prisonnier le plus célèbre du pays, dans l'espoir qu'il puisse fêter le suivant en homme libre – une belle aspiration qui fut cependant repoussée encore d'une année.

L'archevêque Trevor suggéra que la jeunesse britannique entreprenne une sorte de pèlerinage, dont le point culminant serait une gigantesque manifestation au Hyde Park de Londres en juillet, le jour anniversaire de Mandela. Des centaines, que dis-je, des milliers de jeunes britanniques se mirent en marche de tous les coins du pays, répondant à cet appel avec un enthousiasme d'autant plus formidable que la plupart d'entre eux n'étaient pas nés en 1964 quand Nelson avait été condamné à perpétuité et emprisonné à Robben Island, la tristement célèbre île pénitentiaire située au large du Cap. Cet homme qui croupissait en prison depuis vingt-quatre ans, que personne n'avait vu ni entendu depuis si longtemps, s'avérait pourtant capable d'engendrer pareille mobilisation ; la stature morale de Mandela transcendait déjà les frontières. J'eus le privilège d'être présent à Hyde Park ce fameux jour de juillet pour voir ces jeunes y converger et former une foule de 250 000 personnes qui cria ses vœux à Madiba pour qu'il les reçoive par-delà les océans. Une foule qui fustigeait en même temps Maggie Thatcher et tous les chefs d'État occidentaux qui collaboraient avec le régime de l'apartheid : avec ou sans eux, tous les Sud-Africains, blancs comme noirs, seraient bientôt libres.

De fait, Mandela avait acquis une telle renommée que certains pensaient qu'il ne serait pas à la hauteur une fois sorti de prison. Ils craignaient que le géant ait des pieds d'argile, qu'il ne s'agisse finalement que d'un être humain avec ses défauts et ses faiblesses. D'aucuns allaient même jusqu'à murmurer en coulisses qu'il vaudrait mieux l'assassiner en prison – le martyre plutôt que la déception.

Mais cette peur se révéla injustifiée ; le Mandela libre fut celui que nous espérions, et plus encore. Les négociations avec le gouvernement, entamées en prison, aboutiraient bel et bien à la chute de l'infâme système de ségrégation raciale. Sa popularité lui permit de convaincre son parti et l'ensemble de la communauté noire – surtout les jeunes – que ces négociations et les compromis afférents représentaient le seul moyen d'arriver au noble but que nous nous étions fixé : la liberté, la justice et la démocratie pour tous.

Certains ont aussi prétendu que ce long séjour en prison avait été autant d'années perdues. C'était oublier la colère de ce jeune prisonnier : celle de son procès injuste et de tant d'autres procès avant le sien, intentés à des personnes qui défendaient leur droit inaliénable à vivre libres et égaux sur leur terre natale. C'était oublier que Mandela avait pris la tête de *Umkhonto we Sizwe*, la branche armée de l'ANC, parce qu'il était convaincu que la violence appelait la violence et qu'il fallait se battre contre un régime qui avait ignoré toutes les revendications non violentes. Mandela avait mûri en prison. Si la souffrance peut rendre amer, elle peut aussi élever celui qui l'éprouve et c'est, grâce à Dieu, ce qui était arrivé à Mandela. La terrible épreuve de l'incarcération, de la séparation d'avec sa femme et ses enfants, avait sublimé le prisonnier de Robben Island ; il savait désormais se montrer magnanime envers ses adversaires, comprendre leurs peurs et leurs angoisses.

Quel homme remarquable il était devenu, investi corps et âme dans les négociations, prêt à telle ou telle concession nécessaire, prêt même à discuter avec ses pires ennemis. Mais Mandela était aussi profondément bouleversé par la guerre meurtrière qui opposait l'ANC au Parti de libération Inkatha – surtout dans la région du KwaZulu-Natal – ainsi que par la collusion du président De Klerk avec une mystérieuse « troisième force » avide de jeter de l'huile sur le feu de la violence entre Noirs par d'horribles fusillades dans les trains, aux arrêts de bus ou aux stations de taxis. L'indignation le submergeait quand il voyait De Klerk rester indifférent aux meurtres de Noirs, comme si leur vie ne valait rien. Il décida également de retirer l'ANC des travaux de la CODESA (Convention pour une Afrique du Sud démocratique) après le massacre de Boipatong.

J'ai vu ses efforts pour mettre fin à la crise et promouvoir la démocratie, efforts brutalement remis en cause par l'Inkatha qui menaçait de boycotter nos premières élections libres, dont la date venait d'être négociée par la CODESA. En tant qu'archevêque du Cap, je contactai alors mon homologue de l'Église méthodiste, le docteur Stanley Mogoba, pour organiser une rencontre entre Nelson Mandela et Mangosuthu Buthelezi, respectivement dirigeants de l'ANC et de l'Inkatha, dans la ville de Kempton Park. Mandela céda à toutes les exigences de Buthelezi, et prit même l'initiative de lui proposer le poste de ministre des Affaires étrangères si l'ANC remportait les élections. Il ne réclamait en échange qu'un accord sur la date du scrutin, mais même cela lui fut refusé.

Notre pays a eu la chance extraordinaire de bénéficier d'un homme de cette trempe, de cette noblesse d'âme, pour mener à bien un processus de transition à haut risque. N'a-t-il pas invité son ancien geôlier à son investiture présidentielle ? N'a-t-il pas invité à sa table Percy Yutar, le procureur du procès de Rivonia ? Sans oublier le goûter auquel participèrent d'anciens leaders politiques et leurs épouses, la plupart afrikaners. Un dernier exemple ? Mme Verwoerd n'ayant pu se rendre à cette réception donnée à Pretoria, Mandela prit l'avion pour Orania et mit un point d'honneur à prendre le thé avec la veuve du plus fervent défenseur de l'apartheid. Tous ceux qui ne voyaient en lui qu'un terroriste ou un valet du communisme commencèrent à changer d'avis.

Mandela possédait le panache permettant des grands gestes politiques qui, effectués par tout autre que lui, auraient provoqué une gêne considérable. Ainsi, quand les Sprinboks affrontèrent les All Blacks

en finale de la Coupe du monde de rugby 1995 à l'Ellis Park, il foula la pelouse du stade revêtu d'un maillot de l'équipe nationale portant le numéro du capitaine Francois Pienaar.
La foule extatique, composée principalement d'Afrikaners, l'acclama aux cris de « Nelson ! Nelson ! » L'emblème du springbok était pourtant lourd de sens dans un pays où les Noirs n'étaient pas autorisés à pratiquer le sport national aux côtés de leurs compatriotes blancs. Mais Mandela avait compris que les Afrikaners acceptaient difficilement leur perte de pouvoir, et il tenait à leur montrer qu'ils ne perdraient pas l'un de leurs précieux symboles. Après ce geste magistral, de nombreux adversaires d'hier vinrent lui manger dans la main, sans compter que la victoire de l'Afrique du Sud en finale, dans un sport d'homme blanc, se fêta avec ardeur jusqu'au fin fond des ghettos noirs.

Grâce à Mandela, les Sud-Africains se sont enfin sentis en paix avec eux-mêmes, un sentiment qui ne fut jamais aussi prégnant que durant son mandat – cinq années durant lesquelles nous pouvions voir le verre à moitié plein au lieu de le voir à moitié vide.

Son plus beau cadeau à son pays et au monde restera sans aucun doute la Commission de vérité et de réconciliation. Au cours de cette longue enquête, les vainqueurs se montrèrent magnanimes envers les vaincus, évitèrent de jeter du sel sur les plaies encore à vif, et choisirent le pardon plutôt que la vengeance. Lors de certaines audiences, l'on vit même des victimes de crimes atroces se montrer si clémentes qu'elles allaient embrasser leur bourreau au lieu de demander sa tête.

L'Afrique du Sud, autrefois paria, devenait une destination à la mode pour chefs d'État et personnalités du monde entier : la vilaine chenille avait fini par donner naissance à un merveilleux papillon. Chacun voulait rencontrer l'ancien terroriste, propulsé à la tête d'un gouvernement d'union nationale et d'un parlement dans lequel tous les partis, petits et grands, étaient représentés. Un terroriste qui avait nommé vice-président l'ancien leader du régime honni.

Nelson œuvrait dans un tel esprit de concorde que tous ses concitoyens pouvaient enfin se sentir chez eux. C'était vraiment l'homme de la réconciliation.

D'un altruisme saisissant, il avait compris qu'un vrai leader n'existe que par sa charge. Il se dépensait sans compter pour les autres, courant ici et là pour trouver l'argent qui permettrait d'ouvrir une école ou un hôpital en zone rurale. Un jour, je suis allé déjeuner chez lui, à Houghton. À la fin du repas, il est sorti sur le seuil en criant « Chauffeur ! » car il pensait que quelqu'un m'attendait.
Sauf que j'étais venu de Soweto par mes propres moyens. Il ne fit aucun commentaire mais, quelques jours plus tard, m'appela au téléphone pour exprimer son inquiétude de me voir conduire, puis s'excusa d'avoir contacté sans me prévenir quelques amis entrepreneurs susceptibles d'arranger cette triste situation. Et c'est ainsi qu'une entreprise verse à présent une somme mensuelle conséquente me permettant de louer des voitures avec chauffeur. Penser aux autres, c'est pour lui une seconde nature.

Sa seule faiblesse réside dans sa loyauté indéfectible envers ses camarades, qui l'a parfois poussé à garder au gouvernement certains ministres guère compétents. Il a aussi beaucoup souffert de son divorce avec Winnie, qu'il aimait de tout son cœur. Cette séparation l'a vieilli prématurément. Dieu soit loué, Nelson a trouvé depuis chaleur et réconfort auprès de Graça, qui porte bien son nom tant elle irradie de grâce et de gentillesse. Je suis heureux qu'il ait suivi mes conseils dans sa quête d'une nouvelle épouse.

Ils ont l'air si heureux. Ils le méritent.

Le monde porte aux nues l'Afrique du Sud pour trois raisons : la transition pacifique de 1994, la Commission de vérité et de réconciliation, et enfin Nelson Mandela. Celui-ci est de loin l'homme d'État le plus admiré qui soit et, pour tout dire, l'un des meilleurs êtres humains que l'on puisse trouver sur cette terre.

Que Dieu nous garde.

Le Très Révérend Desmond M. Tutu, OMSG DD FKC
Archevêque anglican émérite du Cap

Membre du clan Madiba de la nation Thembu, Rolihlahla Mandela naît le 18 juillet 1918 à Mvezo, un petit village du Transkei, la grande région entre le Cap et la province du Natal qui regroupe les divers ethnies du peuple xhosa. Son père, Nkosi Mphakanyisma Gadla Mandela, est à la fois chef de clan et conseiller du régent Jongintaba Dalindyebo; malheureusement, un an après la naissance de Mandela, un conflit avec un magistrat blanc entraîne sa destitution ainsi que la perte de ses terres, du bétail et des revenus afférents. Comme son père a quatre femmes qu'il visite séparément, Mandela reste avec sa mère et ses sœurs au village de Qunu. La famille vit dans un *kraal* formé de trois rondavelles au toit de chaume, sans doute comparables à celles présentées sur la photo ci-dessus. Mandela passe son enfance en famille, s'amusant dans les vastes espaces du *veld* quand il n'est pas occupé à garder les bêtes ou à écouter la parole des anciens. Une fois convertie au méthodisme, sa mère, Nonqaphi Nosekeni Fanny, le fait baptiser au sein de l'Église wesleyenne.

1918

1920   1930   1940   1950   1960

« J'ai d'excellents souvenirs de mon enfance au Transkei, quand je chassais, jouais aux petits bâtons ou volais des grains de maïs. J'aimais aussi apprendre à compter. »

Lettre à un ami, pénitencier de Pollsmoor, Le Cap

« Comme tous les enfants xhosas, j'ai appris en posant des questions sur ce qui éveillait ma curiosité, puis en observant les adultes et en tentant de les imiter. Mes connaissances étaient donc fortement marquées par les coutumes, les rituels, les tabous, et je peux dire que j'en sais long sur le sujet. »

Extrait d'une autobiographie non publiée, écrite en prison

« J'aimais beaucoup un jeu qui s'appelait *Khetha* - choisis celui qui te plaît. Nous arrêtions un groupe de filles de notre âge et demandions à chacune d'elles de choisir son préféré parmi nous. Les décisions étaient sans appel, et les filles se faisaient ensuite escorter par le garçon sélectionné. »

Ibid

Encouragé par des fidèles de sa paroisse, Mandela rejoint à sept ans l'école de Qunu, devenant ainsi le premier membre de sa famille à recevoir une éducation institutionnelle. Son institutrice le prénomme aussitôt Nelson, puisqu'il était de tradition dans les écoles méthodistes de donner des noms britanniques aux élèves africains. En 1927, le père de Mandela succombe à un accès de tuberculose : l'enfant est placé sous la protection de Jongintaba Dalindyebo, régent du peuple Thembu, et part vivre au palais de Mqhekezweni, capitale judiciaire de la région. En contact permanent avec les anciens, Mandela se plonge dans l'histoire des Xhosas et de la philosophie *ubuntu*, basée sur l'interconnexion entre tous les êtres humains.

À l'image des jeunes Thembus représentés ci-dessous, Mandela subit à seize ans le rite de circoncision qui marque son entrée dans l'âge adulte. Traditionnellement, un homme non circoncis ne peut pas se marier, ni hériter de son père ni participer aux rites de la tribu.

1934

1920   1930   1940   1950   1960

« Quand je repense à ma vie d'alors, je me dis que les jeux et le travail de groupe dans le *veld* m'ont formé très tôt à l'idée d'effort collectif. »

Extrait d'une autobiographie non publiée, écrite en prison

En 1934, Mandela entre au Clarkebury Boarding Institute, l'internat le plus réputé du pays thembu. L'événement est fêté comme il se doit au palais : par le sacrifice d'un mouton. Le régent en profite pour offrir à Mandela son premier costume, que l'on voit sur la photo ci-dessus. Brillant élève, il obtient son brevet en deux ans au lieu de trois, puis s'inscrit à Healdtown, un établissement wesleyen situé à Fort Beaufort, dont il sort diplômé en 1938. À l'âge de vingt et un ans, Mandela part pour Alice et devient étudiant en lettres à Fort Hare, la seule université sud-africaine acceptant les Noirs. Il s'y lie d'amitié avec Oliver Tambo, futur président de l'ANC (Congrès national africain), ainsi qu'avec Kaiser Matanzima, son propre neveu, dont il désapprouvera plus tard l'action en tant que «ministre en chef» du Transkei. Mandela est renvoyé de l'université en deuxième année pour avoir participé à des manifestations visant à améliorer les droits des étudiants. De retour à Mqhekezweni, il subit la colère du régent qui décide finalement de le marier en même temps que son fils, Justice, pour assurer sa succession. Refusant ces unions arrangées, les deux jeunes gens s'enfuient à Johannesbourg où ils trouvent du travail dans les mines et dorment dans l'un des foyers surpeuplés qui accueillent les ouvriers (photo p. 18). Malgré leurs efforts, ils sont renvoyés dès que le contremaître a vent de leur identité.

« On me préparait à devenir chef de clan,
mais j'ai fui le mariage arrangé...
Ça a changé ma vie. Si j'étais resté,
je serais aujourd'hui un chef respecté,
pas vrai ? Avec un gros estomac.
Et beaucoup de bétail. »

Extrait d'un entretien avec Richard Stengel

1941

« Johannesbourg était la ville de l'or ; elle promettait argent et mœurs urbaines aux pauvres campagnards. Chaque année, des milliers de Noirs venaient chercher du travail dans les mines ou comme domestiques chez les Blancs. Mais bien souvent, les promesses n'étaient pas tenues. La ville était coupée en deux : le centre et la banlieue étaient prospères, car même les quartiers d'ouvriers blancs paraissaient luxueux comparés aux ghettos noirs et aux squats divers qui poussaient comme des champignons au milieu des années 40. »

Extrait de *Mandela, le portrait autorisé*, 2006

1944

« J'ai connu de grandes difficultés dès le début de ma carrière d'avocat, non seulement à cause de ma couleur de peau, mais aussi à cause de mon soutien à l'ANC. »

Déclaration à la cour après sa condamnation pour avoir quitté le pays sans passeport et poussé des travailleurs à la grève (Ancienne Synagogue, Pretoria, 7 novembre 1962)

Cherchant désespérément du travail à Johannesbourg, Mandela finit par croiser la route de Walter Sisulu, Xhosa de père blanc, qui dirige une agence immobilière en centre-ville. Sisulu aide Mandela à faire ses premières armes dans le droit en le présentant à Lazar Sidelsky, un avocat blanc du cabinet Witkin, Sidelsky & Eidelman, qui n'hésite pas à traiter les Noirs en égaux. Acte fort pour l'époque, Sidelsky embauche Mandela comme stagiaire, lui prête 50 livres sterling et lui fournit un costume. Le jeune homme trouve un logement à Alexandra, bidonville populeux et animé neuf kilomètres au nord du centre-ville, connu sous le nom de « cité noire » à cause du manque d'électricité. Il habite une baraque en tôle ondulée, sans eau courante et sans autre plancher que la terre. Assuré de sa subsistance, Mandela suit des cours par correspondance à l'université d'Afrique du Sud, où il obtient enfin son diplôme de lettres en 1942. Désireux de poursuivre ses études, il s'inscrit ensuite à l'université de Witwatersrand, surnommée Wits (*intelligence* en anglais), pour y préparer un diplôme de droit. Même si Mandela évite de replonger dans la politique estudiantine, un univers d'idées sociales et politiques s'ouvre à lui, notamment à travers des membres du Parti communiste et du Congrès national indien qui joueront de grands rôles dans sa vie.

Lors du mariage de Sisulu en 1944, ce dernier présente sa cousine Evelyn Mase à Mandela, qui ne tardera pas à l'épouser. Sur la photo ci-contre, prise lors du mariage de Walter et Albertina Sisulu, Mandela apparaît à l'extrême gauche tandis qu'Evelyn, alors élève infirmière, se tient à son côté.

Evelyn et Mandela se marient quelques mois plus tard. Ils s'installent à quinze kilomètres de Johannesbourg, dans le ghetto d'Orlando qui deviendra un jour Soweto, et vivent dans la famille d'Evelyn avant d'acquérir une minuscule maison sans électricité ni toilettes intérieures. Les invités qui passent la nuit chez eux n'ont d'autre choix que de dormir par terre. Le couple donnera naissance à deux fils (Thembekile en 1945 et Makgatho en 1950) ainsi qu'à deux filles prénommées Makaziwe en 1947 et 1954, la première n'ayant vécu que neuf mois. Mandela raffole de la vie familiale, n'hésitant pas à faire les courses, la cuisine, et à donner le bain aux enfants.

1944

1920   1930   1940   1950   1960

« Je suis membre du Congrès national africain, j'ai toujours été membre du Congrès national africain, et je le resterai jusqu'à la fin de mes jours. »

Extrait d'une lettre lue par Zindzi Mandela au stade Jabulani, dans laquelle Mandela refuse la liberté conditionnelle (Soweto, 10 février 1985)

Fervent partisan de l'ANC, Walter Sisulu aide Mandela à former sa pensée politique, et c'est ainsi que l'on voit le jeune homme, désormais plus mûr et plus assuré (photo ci-dessus), assister à ses premiers meetings en 1942. L'ANC, fondé en 1912 pour protester contre les lois racistes, envoie à cette époque délégations et lettres polies au gouvernement – bien sûr en vain – et s'autorise quelques manifestations en dernier recours. Les Jeunesses de l'ANC se forment donc en 1944 autour d'une poignée de militants frustrés par la frilosité de leurs aînés : Nelson Mandela, Anton Lembede, Walter Sisulu et Oliver Tambo. Ces derniers actent leur décision lors d'un meeting à Johannesbourg, au centre social bantou ; Lembede est nommé président tandis que ses trois acolytes entrent au comité exécutif. Cette nouvelle structure souhaite mobiliser les millions de paysans et d'ouvriers qui subissent sans rien dire les foudres du régime, et les convaincre d'utiliser le boycott, la grève et la désobéissance civile pour plaider leur cause. Mandela grimpe rapidement dans l'organigramme jusqu'à être élu secrétaire national en 1948. La même année, le Parti national remporte les élections et met en place sa politique de ségrégation raciale, l'apartheid. L'ANC adopte alors le programme radical prôné par ses jeunes, basé sur l'action populaire, qui transforme le parti en véritable mouvement de libération. Mandela et ses camarades sont aussitôt propulsés au bureau national.

Mandela est élu président des Jeunesses de l'ANC en 1951, alors qu'Evelyn vient de donner naissance
à leur deuxième fils après la disparition tragique de Makaziwe. Il occupe un poste d'assistant
dans le cabinet d'avocats Terblanche & Briggish, ce qui lui permet d'asseoir son statut social
en achetant une voiture. Mandela hésite encore à se lier à d'autres partis protestataires,
de peur d'affaiblir l'ANC, même s'il soutient par exemple la grève de 1950 menée conjointement
par l'ANC, le Parti communiste et le Congrès indien du Transvaal. Cette position évolue lors
de la convention nationale du parti organisée en 1951, où il côtoie notamment Ruth First,
une ancienne condisciple de Wits (photo ci-dessus). Mandela comprend que son point de vue
est minoritaire et se rallie donc à cette règle dont il ne déviera plus : un front uni contre l'oppression.

1951

1920   1930   1940   1950   1960

Débordé par le travail, la politique et la vie de famille, Mandela essaie de se détendre en remontant sur le ring ; il a découvert la boxe à Healdtown et considère ce sport sous un angle stratégique plutôt que purement violent. Quant au jeu de jambes, il se révèle parfois bien utile dans l'arène politique…

« Ma participation au Congrès national africain m'a appris qu'un mouvement d'ampleur nationale est forcément pétri de petites et de grandes contradictions. Une structure présente dans plusieurs classes sociales se voit confrontée à des intérêts divergents à long terme qui risquent de provoquer des conflits au pire moment. »

Extrait d'une autobiographie non publiée, écrite en prison

La «Campagne de désobéissance» envers six lois racistes est lancée le 26 juin 1952 par l'ANC et le Congrès indien d'Afrique du Sud. Elle suit le modèle non violent prôné par Gandhi : grèves, manifestations, non-respect des couvre-feux, actions individuelles telles que pénétrer dans des lieux réservés aux Blancs. Mandela prend en charge la coordination de la campagne avant d'être, quelques mois plus tard, élu président de l'ANC Transvaal et président adjoint du parti au niveau national. Il subit sa première arrestation en compagnie de Yusuf Cachalia, secrétaire du Congrès indien, et ce dès l'inauguration de la campagne tandis qu'ils saluent cinquante militants venus défier le couvre-feu. Les deux hommes sont libérés après quarante-huit heures de garde à vue sans qu'aucune charge ne soit retenue contre eux. Le 30 juillet, Mandela est de nouveau arrêté avec dix-neuf de ses camarades en vertu de la loi de répression du communisme. La photo ci-dessus présente quatorze des vingt prévenus du procès, avec au premier rang et de gauche à droite : James Philips, M. Thandray, Dan Tloome, Nana Sita et Maulvi Cachalia. Au deuxième rang, on distingue de gauche à droite : Barney Desai, Yusuf Cachalia (avec les lunettes), Moses Kotane, David Bopape, Nthato Motlana, Yusuf Dadoo, J. B. Marks, Ahmed Kathrada et le docteur Moroka. Mandela lit un journal sur la gauche de l'image. Tous sont condamnés à neuf mois de travaux forcés avec sursis, applicables pendant deux ans. La photo ci-contre montre Mandela en compagnie de Walter Sisulu, qui fait lui aussi partie des prévenus. Mandela reçoit à cette occasion la première d'une longue série d'ordonnances judiciaires lui interdisant tout activisme politique et restreignant ses déplacements au seul district de Johannesbourg.

1952

1920   1930   1940   1950   1960

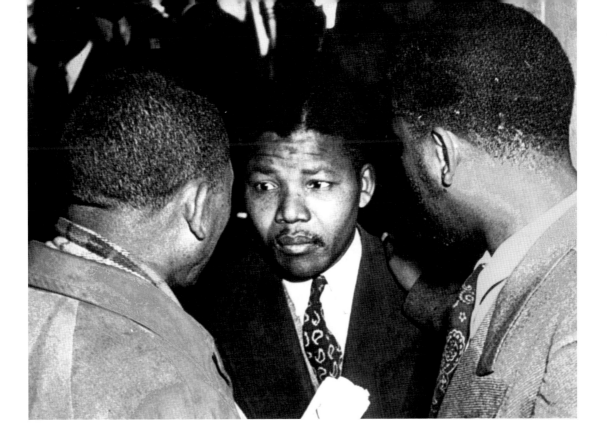

« Nous avons lancé la Campagne de désobéissance en 1952 pour protester contre six lois ségrégationnistes. »

Extrait d'un documentaire de la BBC, 1966

« Notre objectif était d'enfreindre ces lois afin d'aller en prison et d'attirer ainsi l'attention du pays et du monde entier sur nos revendications. Nous voulions délivrer les gens de la peur de l'homme blanc, de la peur des prisons, des tribunaux, de la police, de l'armée. Oui, on pouvait lutter contre l'injustice, aller en prison pour ça et s'en sortir quand même. Il fallait créer un esprit de résistance. Former un front uni. »

Extrait d'un entretien avec Richard Stengel, en mars 1993

En août 1952, Mandela et Oliver Tambo ouvrent un cabinet d'avocats à leur nom, grande première pour deux associés noirs. La photo ci-dessus montre Mandela dans les bureaux du cabinet, situés à la chancellerie en face du tribunal de police. Le travail ne manque pas : Mandela se fait connaître par des plaidoiries théâtrales tandis que Tambo (photo ci-contre) est réputé pour son style grave et posé. Leur clientèle compte aussi bien de simples citoyens expulsés de zones devenues «blanches» que des chefs de clan en conflit avec le préfet en charge des affaires indigènes. Même s'ils ne touchent pas de gros honoraires, les deux hommes traitent suffisamment de cas pour s'assurer de bons revenus, ce qui permet à Mandela d'acquérir une Oldsmobile et des costumes élégants. Sur la photo page suivante, prise en 1953, Mandela se tient sur le toit de Kholvad House, une maison appartenant à Ahmed Kathrada, membre du Congrès indien.

1952

En 1953, l'ANC recrute 50 000 volontaires chargés de recueillir les doléances des citoyens afin de rédiger une «Charte de la liberté». Mandela fait partie des rédacteurs de la charte, adoptée le 26 juin 1955 au Congrès du peuple, un grand meeting qui rassemble 3 000 personnes à Kliptown, un quartier de Soweto. Posant les bases politiques de l'Alliance du congrès, coalition anti-apartheid dirigée par l'ANC, le texte exige en vrac les mêmes droits pour tous sans considérations raciales, une vaste réforme agraire, l'amélioration des conditions de vie et de travail, une meilleure répartition des richesses, l'école obligatoire et, en règle générale, des lois plus justes. Sur la double page suivante, on peut voir une partie du préambule et du texte de la Charte de la liberté écrite sur le mur d'une cellule du palais de justice de Pretoria. Sous le coup d'une énième ordonnance judiciaire, Mandela assiste aux débats du congrès en secret depuis le toit d'un magasin, en compagnie d'autres camarades frappés des mêmes interdictions.

La période n'est pas de tout repos pour Mandela, puisque au même moment, le barreau du Transvaal en appelle à la Cour suprême pour l'empêcher d'exercer, sous prétexte d'un activisme politique incompatible avec la profession – notamment sa participation à la Campagne de désobéissance. L'accusé s'en sort avec sa dextérité coutumière, engageant deux avocats de renom pour le défendre et remporter l'affaire.

Sa vie privée ne lui apporte guère de réconfort : la relation avec Evelyn se dégrade depuis que celle-ci est entrée aux Témoins de Jéhovah et cherche à entraîner son mari dans sa nouvelle foi. Des rumeurs persistantes prétendent également que Mandela la trompe avec d'autres femmes. De guerre lasse, Evelyn finit par le sommer de choisir entre elle et l'ANC.

1953

1920   1930   1940   1950   1960

« Le peuple noir s'est dressé contre la misère, les bas salaires, le manque de terres,

l'exploitation des travailleurs et tout ce qui relève de la domination des Blancs.

Mais au lieu d'une plus grande liberté, il n'a obtenu qu'une plus grande répression. »

Extrait du discours « Le dur chemin vers la liberté » prononcé au congrès de l'ANC du Transvaal, le 21 septembre 1953

« On ne peut pas demander à ceux qui n'ont pas le droit de vote de payer des impôts.

On ne peut pas demander aux pauvres de payer un loyer sous peine de poursuites

et d'emprisonnement. Et par-dessus tout, on ne peut pas demander aux oppressés

de participer au fonctionnement de la société qui les oppresse. »

Déclaration de l'ANC en vue de l'élection d'une convention nationale, 1961

Sur la double page suivante figure le préambule et le début de la Charte de la liberté écrits sur le mur d'une cellule du palais de justice de Pretoria :

Charte de la liberté

Préambule : L'Afrique du Sud appartient à tous ses habitants, qu'ils soient noirs ou blancs, et aucun gouvernement ne peut se prévaloir d'une autorité qui ne lui aurait pas été conférée par l'ensemble du peuple.

1 – le pouvoir appartient au peuple !

2 – tous les groupes ethniques doivent disposer des mêmes droits !

3 – la richesse du pays doit être équitablement répartie !

4 – la terre appartient à ceux qui la travaillent !

5 – la même loi s'applique à tous !

6 – les droits de l'homme s'appliquent à tous !

7 – le travail et la sécurité sont des droits inaliénables !

8 – l'éducation et la culture doivent être accessibles à tous !

9 – tout le monde a droit à un logement, à la sécurité et à une vie confortable !

10 – la paix et l'amitié doivent régner dans le pays !

THE FREEDOM CHAR...

Preamble: South Africa belongs to a...
n it, black and white and no c...
can justly claim authority u...
based on the will of the

1. THE PEOPLE SHALL GOVERN
2. ALL NATIONAL GROUPS SHAL...
3. THE PEOPLE SHALL SHARE IN...
4. THE LAND SHALL BE SHARED
5. ALL SHALL BE EQUAL BEFO...
6. ALL SHALL ENJOY EQUAL...
7. THERE SHALL BE WORK AND...
8. THE DOORS OF LEARNING...
   SHALL BE OPENED!
9. THERE SHALL BE HOUSES...
10. THERE SHALL BE PEACE...

TER

WHO LIVE

RNMENT

SS IT IS

OPLE.

AVE EQUAL RIGHTS!

COUNTRY'S WEALTH!

ONG THOSE WHO WORK IT!

THE LAW!

UMAN RIGHTS!

CURITY!

CULTURE!

SECURITY AND COMFORT!

FRIENDSHIP!

En mars 1956, une nouvelle ordonnance judiciaire empêche Mandela de quitter le district de Johannesbourg pour les cinq ans à venir. Le 5 décembre, il est arrêté pour haute trahison dans le cadre d'une vaste opération visant à affaiblir l'Alliance du congrès : trois agents de police blancs pénètrent chez lui à l'aube et fouillent la maison en quête de preuves, sous l'œil terrifié de ses enfants. Il reste incarcéré plusieurs semaines au fort de Johannesbourg avant de passer en jugement à la base militaire, en compagnie de 155 autres activistes impliqués dans l'organisation du Congrès du peuple et la rédaction de la Charte de la liberté. Dès le lendemain, les accusés se retrouvent confinés derrière une grille métallique sur laquelle on colle une pancarte «animaux dangereux, ne pas nourrir».

Libéré sous caution, Mandela découvre qu'Evelyn a quitté le domicile conjugal avec les enfants. Les mois suivants sont très durs pour lui car il a du mal à accepter que Thembekile, Makgatho et Makaziwe s'habituent peu à peu à la séparation de leurs parents.

Connue sous le nom de «procès des traîtres», la procédure traîne en longueur : neuf mois rien que pour les audiences préliminaires. En octobre 1958, l'accusation abandonne un certain nombre de charges ; Mandela et ses compagnons quittent la salle d'audience le sourire aux lèvres, comme on peut le voir sur cette photo de Mandela et Moses Kotane. Mais le répit est de courte durée, puisqu'un nouvel acte d'accusation est rédigé un mois plus tard, valant à vingt-huit personnes – dont Mandela – de retrouver le chemin du tribunal dès février.

«J'étais fier d'appartenir à un mouvement [l'ANC] qui prônait de tels idéaux démocratiques et luttait pour eux avec courage et ferveur.»

Déclaration à la cour après sa condamnation pour avoir quitté le pays sans passeport et poussé des travailleurs à la grève (Ancienne Synagogue, Pretoria, 7 novembre 1962)

1956

1920   1930   1940   1950   1960

À l'époque du «procès des traîtres», Mandela fait la connaissance de Nomzamo Winifred Madikizela : belle et intelligente, «Winnie» était devenue en 1955 la première travailleuse sociale noire de l'hôpital Baragwanath de Soweto. Le couple se rencontre grâce à Adelaide Tsukudu, elle-même future épouse d'Oliver Tambo, même si Mandela avait déjà remarqué la jeune femme à un arrêt de bus quelques semaines auparavant. Le divorce d'avec Evelyn étant prononcé début 1958, Mandela épouse Winnie dès le 14 juin. Le mariage (photos ci-dessus) se déroule au Pondoland, dans le Transkei, la région natale de Winnie ; Mandela doit demander une suspension temporaire de son interdiction de déplacement pour pouvoir y participer.

1958

« La camarade Nomzamo [Winnie Mandela] assuma la lourde tâche d'élever seule nos enfants. Elle eut plus de chance que d'autres mères isolées car elle recevait un soutien moral et matériel à la fois des Sud-Africains et de la communauté internationale. Elle a enduré les persécutions du gouvernement avec une bravoure exemplaire, sans jamais renoncer au combat pour la liberté. »

Annonce de la séparation du couple Mandela, à Johannesbourg, le 13 avril 1992

Le couple donne naissance à deux filles : Zenani, en février 1959, puis Zindziswa, en 1960 (photo ci-dessus).

Ces panneaux et inscriptions racistes soulignent un apartheid de plus en plus prégnant, ainsi que le mépris d'une partie de la population envers les Noirs. «Tout cafre (*kaffir*- terme insultant pour les Noirs) pénétrant ci sera abattu», «Arrêt de tram pour indigènes», «Réservé aux Occidentaux».

«Il était impossible de se taire alors que l'obscénité de l'apartheid s'imposait à notre peuple.»

Extrait du discours prononcé devant le Congrès américain, Washington DC, juin 1990

Une nouvelle décennie commence sans que le «procès des traîtres» touche à sa fin. L'ANC décide de lancer une vaste campagne d'opposition aux laissez-passer qui restreignent les mouvements des Noirs, mais cette opération prévue entre mars et juin 1960 est perturbée par le Congrès panafricain, né d'une scission avec l'ANC, qui lance sa propre campagne avec dix jours d'avance. L'initiative du Congrès se solde par un massacre le 21 mars à Sharpeville, un ghetto noir situé 80 kilomètres au sud de Johannesbourg : la police ouvre le feu sur des manifestants désarmés, faisant soixante-neuf morts et cent quatre-vingts blessés (ci-contre la photo des funérailles).

Le massacre de Sharpeville est sévèrement condamné par les Nations unies et par de nombreux gouvernements hostiles au régime d'apartheid et à sa répression policière. Tandis que le gouvernement sud-africain crie au complot communiste, Albert Luthuli, président de l'ANC, brûle son laissez-passer en public le 26 mars ; il décrète également une journée de deuil national, demandant à toute la population de rester chez elle le 28. Sur la photo ci-contre, Mandela sourit devant sa maison d'Orlando tandis qu'il brûle à son tour le fameux laissez-passer. Le gouvernement réagit en déclarant l'état d'urgence, et profite de l'occasion pour mettre sous les verrous des centaines de militants, dont Mandela, arrêté chez lui le matin du 30 mars. Pendant trois jours, Mandela et quarante autres militants subissent des conditions de détention abjectes dans un poste de police du quartier de Sophiatown, avant d'être transférés à la prison de Pretoria pour assister aux comparutions. Quand Oliver Tambo quitte le pays afin de promouvoir l'action de l'ANC à l'étranger, Mandela est bien obligé de fermer leur cabinet d'avocats : la justice l'autorise à effectuer les démarches administratives le week-end à Johannesbourg, à condition de dormir en prison. Ce dispositif se prolonge jusqu'en août, lorsque le gouvernement lève l'état d'urgence et permet à Mandela de retourner auprès de sa famille.

« La grève de fin mai n'était que le début de l'opération. Nous lançons à présent, dans tout le pays, une vaste campagne de désobéissance au gouvernement Verwoerd, qui durera jusqu'à la création d'une convention nationale élue, réunissant toutes les composantes du peuple, chargée de rédiger et de mettre en application une constitution démocratique. »

Déclaration de l'ANC en vue de l'élection d'une convention nationale, 1981

1960

En mars 1961, quatre ans et demi après le début du « procès des traîtres », les juges décrètent une ultime semaine d'ajournement avant de rendre enfin leur verdict. À cette époque, l'ANC a décidé de militer ouvertement hors d'Afrique du Sud mais en secret dans le pays. Mandela accepte de travailler à plein temps pour le parti, ce qui signifie qu'il devra vivre loin de Winnie et de leurs deux filles. Il se rend à Pietermaritzbourg pour assister au Congrès des peuples africains qui réunit les divers mouvements de libération des pays encore sous domination européenne ; principal orateur de la convention, il réclame la création d'une assemblée constituante sud-africaine regroupant toutes les origines ethniques. Mandela revient à Johannesbourg le 29 mars pour le verdict tant attendu : tous les accusés sont finalement acquittés. Une foule triomphante envahit la salle d'audience en chantant *Nkosi sikelel' iAfrika* (Dieu bénisse l'Afrique). La photo ci-dessus montre Mandela célébrant la bonne nouvelle avec Winnie devant le tribunal.

1961

Nkosi sikelel' iAfrika
Maluphakanyisw' uphondo lwayo
Yizwa imithandazo yethu
Nkosi sikelela, thina lusapho lwayo
Nkosi sikelel' iAfrika

Dieu bénisse l'Afrique
Que sa corne se dresse
Que ses prières soient exaucées
Seigneur, bénis-nous,
car nous sommes ta famille
Dieu bénisse l'Afrique

Premier couplet de l'hymne Nkosi sikelel' iAfrika

« Le monde ne sera pas changé par ceux
qui restent les bras croisés, mais par ceux
qui se jettent dans l'arène, qui subissent la furie
des combats, qui souffrent dans leur chair. »

Extrait d'une lettre adressée à Winnie Mandela
depuis Robben Island, le 22 juin 1963

Mandela parcourt le pays en secret, dormant le jour dans des appartements vides ou des maisons amies, tenant la nuit des réunions clandestines quand il ne donne pas des interviews à des médias triés sur le volet. Sous le coup d'un mandat d'arrêt, il doit se déguiser pour échapper à ses poursuivants (photo ci-dessus) et peut apparaître sous les traits d'un jardinier en salopette usée ou d'un chauffeur en long manteau et casquette à visière. L'amateur de vêtements chics se prête de bonne grâce à ses transformations, n'hésitant pas à se laisser pousser les cheveux ou à porter des lunettes, mais reste intraitable sur un point : hors de question de raser cette barbe que connaissent à présent tous les militants anti-apartheid. Peut-être prend-il aussi conscience que le port de la barbe participe de son charisme. Cette vie de fugitif lui vaut dans les journaux le surnom de « Mouron noir », en référence au Mouron rouge, héros d'une série de romans populaires anglais.

Mandela finit par admettre que la non-violence ne mène à rien, et propose donc la création d'une branche armée lors d'une réunion de l'ANC en juin 1961. Des pourparlers avec le comité exécutif et divers groupes militants aboutissent à la création de *Umkhonto we Sizwe*, la Lance de la Nation, dont Mandela est nommé commandant en chef. *Umkhonto we Sizwe*, aussi connue sous l'abréviation MK, se fait connaître dès le mois de décembre en posant des bombes artisanales dans des bâtiments publics à Johannesbourg, Durban et Port Elizabeth.

1961

« L'espoir est au combattant de la liberté ce que la bouée de sauvetage est au nageur
– une chance de garder la tête hors de l'eau. »

Extrait d'une lettre adressée à Winnie Mandela depuis Robben Island

Ci-dessus : Nelson Mandela, portant des lunettes noires, à la droite d'Ahmed Ben Bella (costume sombre, au centre) pose parmi des leaders du FLN, dont Ouari Boumedienne (imperméable clair, à droite) durant la Guerre d'Algérie. Ben Bella et Boumedienne seront les premier et deuxième présidents de l'Algérie, de 1963 à 1978.

En janvier 1962, l'ANC dépêche Mandela à une conférence panafricaine à Addis Abeba : à quarante-trois ans, c'est son premier voyage hors d'Afrique du Sud. Il réussit à sortir du pays sans encombre en passant par le protectorat du Bechuanaland, qui deviendra l'actuel Botswana en 1966. Mandela traverse douze pays africains en six mois, rencontrant les chefs de gouvernement pour plaider la cause de l'ANC et demander des fonds, des armes et des formateurs militaires. La photo page précédente montre Mandela (lunettes noires), durant la période où il suivit un entraînement avec les combattants algériens du FLN au Maroc. Il se rend aussi à Londres (photos ci-contre, avec Mary Benson) où il retrouve Oliver Tambo et d'autres militants en exil, puis termine son périple par huit semaines de formation militaire à Addis Abeba. Mandela repasse la frontière du Bechuanaland grâce à Cecil Williams, un directeur de théâtre blanc et membre du MK, qui « l'embauche » comme chauffeur. Le fugitif peut enfin revoir sa famille à Rivonia, une banlieue de Johannesbourg, où la Liliesleaf Farm – la ferme de la Feuille de nénuphar – sert de quartier général au MK. Durant son absence, Winnie et les deux filles ont été harcelées sans relâche par la police, notamment lors d'une perquisition nocturne.

« Un combattant de la liberté doit saisir chaque occasion de plaider sa cause auprès du peuple. »

1962

Le 5 août 1962, quelques jours après son retour en Afrique du Sud, Mandela est arrêté près de Howick, dans la province du ZwaZulu-Natal, où il devait faire son rapport à Albert Luthuli. Comme il est dit en une du *Rand Daily Mail* (photo ci-dessus), l'équipée touche à sa fin. Mandela est accusé d'avoir quitté le pays sans passeport et poussé des travailleurs à la grève ; son procès dure deux semaines, durant lesquelles il porte non pas un costume occidental mais une tenue traditionnelle xhosa, une *kaross* (cape) en peau de léopard, symbole de ses origines et de sa qualité d'homme noir comparaissant devant un juge blanc. La photo ci-contre, sur laquelle Mandela porte un autre vêtement tribal, donne une idée de son allure lors du procès. Winnie adopte ce même parti pris et apparaît dans une longue jupe xhosa, avec une coiffure garnie de perles. Mandela assure sa propre défense et livre son testament politique le dernier jour du procès, évoquant les idées démocratiques des anciens de sa tribu ainsi que les lois iniques qui ont motivé ses actes. Le verdict tombe : cinq ans ferme. Après six mois de prison à Pretoria, il est conduit en pleine nuit au Cap, avec trois autres prisonniers politiques, puis jeté dans la cale d'un vieux bateau. Les gardiens leur urinent dessus tandis que l'embarcation parcourt les sept kilomètres qui séparent le continent de Robben Island, île à la sinistre réputation puisqu'elle sert de prison depuis l'époque des premières colonies hollandaises au XVIIe siècle.

« Tenter de m'enfuir représentait un trop gros risque. »

Remarque faite le 15 novembre 1993 à Howick, de retour sur le lieu de son arrestation du 5 août 1962

1962

« Pourquoi dois-je m'expliquer devant un juge blanc, être accusé par un procureur blanc et surveillé par un soldat blanc ? Qui peut prétendre que la justice saura rester impartiale dans une telle atmosphère ? Pourquoi, dans l'histoire de ce pays, aucun Noir n'a-t-il jamais eu l'honneur d'être jugé par ses pairs, par son peuple ? Je suis un homme noir dans un tribunal d'hommes blancs. Ce n'est pas juste. »

Extrait de la demande de récusation du juge W.A. Van Helsdingen (Ancienne Synagogue, Pretoria), le 22 octobre 1962

1963

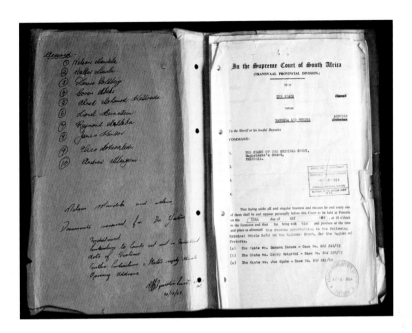

Mandela est rapatrié à Pretoria dix-sept jours plus tard. En effet, lors d'une descente à Liliesleaf Farm
le 11 juin 1963, la police a découvert de nouvelles preuves parmi lesquelles les plans d'une insurrection
armée baptisée Opération Mayibuye, des notes de Mandela sur les techniques de guérilla, ainsi que
le journal complet de son voyage à travers l'Afrique. En octobre, dix membres de l'ANC comparaissent
au palais de justice de Pretoria. C'est un Mandela amaigri, entravé par des fers aux chevilles et
des menottes aux poignets, qui rejoint une nouvelle fois le banc des accusés (voir l'escalier y menant,
photo ci-contre). Il se dresse face au public et lève le poing droit, symbole de l'ANC, en criant : *Amandla!*
(le pouvoir) Ses partisans répondent : *Ngawethu!* (nous appartient) Quand le juge lui demande s'il plaide
coupable, il déclare : « Votre honneur, c'est le gouvernement qui devrait être ici à ma place, donc je plaide
non coupable. » Les dix prévenus sont accusés de sabotage, crime pour lequel ils risquent la peine de mort.

« Je ne me considère ni légalement ni moralement tenu d'obéir à des lois votées

par un parlement dans lequel je ne suis pas représenté. »

Extrait de la demande de récusation du juge W.A. Van Helsdingen (Ancienne Synagogue, Pretoriat, 22 octobre 1962)

Ci-dessus : L'acte d'accusation

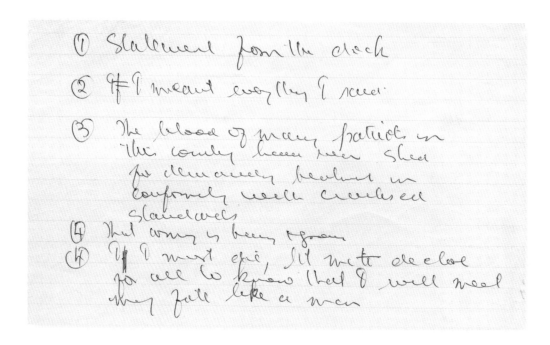

Ce qui deviendra connu sous le nom de «procès de Rivonia» s'étale jusqu'en juin 1964.
Mandela refuse d'être interrogé sous serment et se lance dans une grande déclaration
de principe depuis le banc des accusés ; pendant cinq heures, il évoque l'histoire et les traditions
qui ont forgé ses opinions politiques, il parle de démocratie, du régime raciste qui règne
en Afrique du Sud, de la liberté qui se répandra un jour dans toute l'Afrique. Puis il braque
son regard sur le juge et conclut : «C'est un idéal que j'espère voir se réaliser, mais s'il le faut,
c'est un idéal pour lequel je suis prêt à mourir.» Comme en atteste la photo page précédente,
le verdict rendu le 11 juin est transcrit au dos de l'acte d'accusation. Mandela, l'accusé numéro
un, est condamné à la prison à vie, au même titre que sept de ses camarades. L'image ci-dessus
montre la note qu'il avait rédigée en cas de condamnation à mort. « 1. Déclaration depuis le
banc des accusés. 2. J'ai voulu dire tout ce que j'ai dit. 3. Le sang de nombreux patriotes dans
ce pays a été versé pour avoir demandé un traitement en conformité avec les normes civilisées.
4. L'armée commence à grossir (*The army has beginning to grow*, déchiffrage par le Professeur
Tim Couzens). 5. Si je dois mourir, qu'il soit dit que je mourrai comme un homme. »

« Si je dois mourir, qu'il soit dit
que je mourrai comme un homme. »

Extrait de la note rédigée avant le verdict du procès de Rivonia, 12 juin 1964

« J'ai passé ma vie à lutter pour le peuple d'Afrique. J'ai lutté à la fois contre
la domination blanche et contre la domination noire. J'ai porté l'idéal d'une société
libre, démocratique, dans laquelle tous les citoyens vivraient en harmonie
et égaux en droits. C'est un idéal que j'espère voir se réaliser, mais s'il le faut,
c'est un idéal pour lequel je suis prêt à mourir. »

Déclaration depuis le banc des accusés du procès de Rivonia, 20 avril 1964

1964

« Il a fait très froid en juin. Nous ne portions qu'un short, une chemise kaki et une veste en coton. Et des sandales. Nous devions casser des pierres. Dehors, dans le froid, sans aucune protection. Il faisait froid. Si froid que nous avions l'impression de geler sur place. »

Extrait d'une conversation avec Richard Stengel portant sur les conditions de vie à Robben Island en 1964, le 3 décembre 1992

Mandela et six autres condamnés – Walter Sisulu, Raymond Mhlaba, Govan Mbeki, Ahmed Kathrada, Elias Motsoaledi et Andrew Mlangeni – sont emprisonnés derrière les miradors et les barbelés de Robben Island. Les conditions de détention sont très dures : des cellules en béton nu avec une fenêtre à barreaux, si petites que Mandela touche presque les deux murs opposés une fois couché (photo ci-dessus). La nuit, le froid est extrêle, les prisonniers dorment habillés ; après le réveil à 5 h 30, ils se lavent dans un seau avant de manger une infâme bouillie de maïs. Toute la journée, ils restent assis dans la cour à casser des pierres (photo de la page précédente) avec pour seule pause un déjeuner encore à base de maïs. La douche commune – glacée – est programmée à 16 heures, avant le retour en cellule à 17 heures. Au dîner, l'éternelle bouillie de maïs est parfois agrémentée d'un légume ou d'un mauvais bout de viande. L'extinction des feux est prévue à 20 heures, mais Mandela est autorisé à veiller jusqu'à 23 heures pour préparer son diplôme de droit. Le week-end, les prisonniers restent en cellule à l'exception d'une petite heure de promenade dans la cour.

1964

« La prison et les autorités pénitentiaires tentaient de briser la dignité des individus. En fait cela me sauvait, puisque personne, ni homme ni institution, ne pouvait me dépouiller de cette dignité qui pour moi n'avait pas de prix. »

Extrait de l'autobiographie Un long chemin vers la liberté (Fayard, 1995)

Pour Mandela, les années 1968/69 sont marquées du double sceau du deuil et de l'angoisse. En 1968, sa mère meurt d'une crise cardiaque, mais les autorités pénitentiaires lui refusent le droit d'assister aux funérailles. L'année suivante, Winnie est arrêtée chez elle en pleine nuit et jetée en prison au titre des lois antiterroristes. Ses deux filles trouvent refuge chez des amis de la famille tandis qu'elle reste gardée au secret seize mois durant. Trois mois plus tard, Mandela reçoit un télégramme lui annonçant la mort de son fils aîné, âgé de vingt-quatre ans, dans un accident de la route. On l'empêche encore une fois de se rendre aux funérailles. Le prisonnier sombre dans une grande tristesse.

« Pour survivre en prison, il faut trouver de menues satisfactions quotidiennes. Laver son linge et en apprécier la propreté. Balayer le couloir pour éliminer la poussière. Organiser sa cellule de façon à conserver le maximum d'espace. Un homme libre tire sa fierté de grandes réalisations, un prisonnier de petites choses. »

Extrait de l'autobiographie *Un long chemin vers la liberté* (Fayard, 1995)

1968

My Darlings,

1st June 1970

It is now more than 8 years since I last saw you, and just over 12 months since mummy was suddenly taken away from you.

Last year I wrote you 2 letters — one on the 23rd June and the other on the 3rd August. I now know that you never received them. As both of you are still under 18, and as you are not allowed to visit me until you reach that age, writing letters is the only means I have of keeping in touch with you and of hearing something about the state of your health, your schoolwork and your school progress generally. Although these previous letters do not reach, nevertheless I shall keep on trying by writing whenever that is possible. I am particularly worried by the fact that for more than a year I received no clear and first-hand information as to who look after you during school holidays and where you spend such holidays, who feeds you and buys you clothing, who pays your school fees, board and lodging, and on the progress that you are making at school. To continue writing holds out the possibility that one day there may be an outside in that you may receive these letters. In the meantime the mere fact of writing down my thoughts and expressing my feelings gives me a measure of pleasure and satisfaction. It is some means of passing on to you my warmest love and good wishes, and tends to calm down the shooting pains that hit me whenever I think of you.

In the first letter I told you that mummy was a brave woman who is suffering today because she deeply loves her people and her country. She had chosen the life of misery and sorrow in order that you, zeni and zindzi, maki and kgatho, and many others like you might grow up and live peacefully and happily in a free country where all people, black and white, would be bound together by a common loyalty to a new South Africa. I gave you a brief account of her family background and career and the many occasions in which she has been sent to jail. I ended the letter by giving you the assurance that one day mummy and I would return and join you perhaps at 8115 Orlando West or maybe in some other "home." It may well be that she may come back with her poor health worse than it is at present and needing much nursing and care. It will then be your turn to look after her. Your love and affectionate devotion will serve to heal the deep and ugly wounds caused by many years of hardship and may prolong her life indefinitely. The second letter contained the sad news of the death of Buti Thembi in a car accident near Cape Town and I gave you deepest sympathy on behalf of mummy and me. I do hope that some good friend was able to

Zeni (dix ans) et Zindzi (huit ans), les deux filles de Nelson et Winnie Mandela, vivent chez des amis de la famille pendant que leur mère est en prison à Pretoria. Dans cette lettre datée du 1er juin 1970, Mandela se plaint de ne pas les avoir vues depuis huit ans et parle de lettres qu'elles n'ont jamais reçues – sans doute saisies par quelque gardien de prison.

1969

(ii) On two previous occasions W/O Prins, as he then was, made remarks to 2 Indian prisoners, speaking to each one on a different occasion, to the effect that africans were uncivilised and that when they were in power they would attack Whites, coloureds and Indians alike, and stressed that the best course for Indians would be to join Whites. To one of them, he added that he always Thought politically on these matters.

It is dangerous to entrust the task of promoting the welfare of prisoners to officials who hold racialistic views, and it is an abuse of authority to take advantage of their official positions to try and create feelings of hostility amongst prisoners of different population groups. We totally reject apartheid in all its forms and the C.O. has no right whatsoever to attempt to sell us an idea we regard as diabolical and dangerous.

In this connection I should like to add that the conduct of these officials is not only improper but also contrary at least to the avowed official policy. Government spokesmen, including the present Premier, have repeatedly repudiated the idea that any particular population group in the country is superior to others.

2. <u>Improper Interference with Social Relationships</u>

(a) My youngest daughter, Zindziswa, sent me photographs on 3 different occasions one of which I actually saw in my file in 1974 when W/o Du Plessis and I were looking for the copy of a letter I had written to a former Minister of Justice. When I asked for the photo, he told me we should deal with one thing at a time and, for that day, I left the matter there. When I subsequently asked for it, the photo had disappeared.

I mentioned the matter to Lt. Terblanche, then head of the prison, who told me he would investigate it. Later, I received 2 other letters in which my wife reported that my daughter had sent other photos. As I had not received them, I immediately placed the matter before Lt Prins. Although I mentioned it to him twice thereafter, I have never heard from him again.

I might add that I had no trouble with letters from my daughters until Zindziswa complained to the United nations about the systematic persecution

/ of

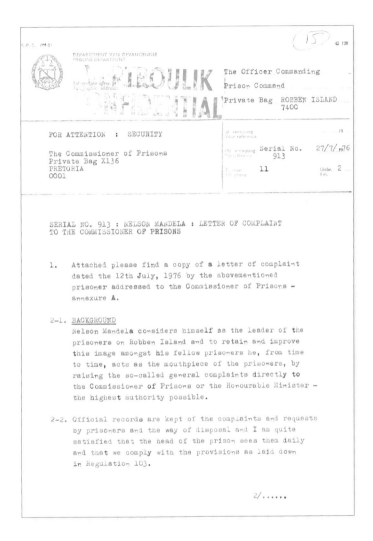

C.P.S. (M.S)

DEPARTEMENT VAN GEVANGENISSE
PRISONS DEPARTMENT

G 128

CONFIDENTIAL

The Officer Commanding

Prison Command

Private Bag ROBBEN ISLAND
7400

FOR ATTENTION : SECURITY

The Commissioner of Prisons
Private Bag X136
PRETORIA
0001

Serial No.   27/7/ 76
913

11   2

SERIAL NO. 913 : NELSON MANDELA : LETTER OF COMPLAINT
TO THE COMMISSIONER OF PRISONS

1.   Attached please find a copy of a letter of complaint
      dated the 12th July, 1976 by the abovementioned
      prisoner addressed to the Commissioner of Prisons -
      annexure A.

2-1. BACKGROUND
      Nelson Mandela considers himself as the leader of the
      prisoners on Robben Island and to retain and improve
      this image amongst his fellow prisoners he, from time
      to time, acts as the mouthpiece of the prisoners, by
      raising the so-called general complaints directly to
      the Commissioner of Prisons or the Honourable Minister -
      the highest authority possible.

2-2. Official records are kept of the complaints and requests
      by prisoners and the way of disposal and I am quite
      satisfied that the head of the prison sees them daily
      and that we comply with the provisions as laid down
      in Regulation 103.

                                                    2/......

Les conditions de détention s'améliorent progressivement, même si ces progrès restent suspendus
au bon vouloir des autorités pénitentiaires. Mandela ne cesse de harceler la direction sur des questions
de principe ; suite à de nombreuses pétitions, les prisonniers de sa section obtiennent enfin des pantalons
et des uniformes individuels, avant d'être autorisés à planter un potager dans la cour. La photo ci-contre
montre un extrait d'une lettre de vingt-cinq pages envoyée par Mandela à l'administrateur des prisons,
le 12 juillet 1976, pour se plaindre de divers abus de pouvoir ; la missive part le 27 juillet avec une lettre
d'accompagnement signée du commandant de Robben Island (photo ci-dessus).

1976

1970   1980   1990   2000   2010

En 1977, le gouvernement invite vingt-cinq journalistes sud-africains à visiter Robben Island
dans l'espoir de démentir les rumeurs insistantes sur les mauvais traitements infligés aux prisonniers
politiques. Lesdits prisonniers n'apprécient guère d'être suivis pas à pas et mitraillés par les journalistes
comme s'ils étaient des animaux de cirque. La photo ci-dessus montre Mandela dans la carrière où
il a cassé des pierres et extrait de la chaux treize années durant, seulement muni d'une pelle et d'une
pioche. Le reflet du soleil sur la pierre blanche lui a brûlé les yeux : trois ans de demandes répétées
ont été nécessaires à l'obtention de lunettes de soleil. La lettre ci-contre, datée du 19 mai 1977,
est adressée à la direction au nom de tous les prisonniers pour dénoncer cette visite de presse. Mandela
y parle de la photo sur laquelle il recoud un vêtement, prise en 1964 (voir p. 64), et utilisée par
les autorités pénitentiaires pour donner une fausse idée de la vie en prison. Le commandant
de Robben Island annote la lettre en marge : « Hors de propos, je n'ai même pas vu ce lait. »,
« Très intéressant ! », « Je suppose que tous les citoyens d'Afrique du Sud devraient en être protégés. »,
« N'importe quoi ! C'est pareil pour tous les prisonniers. »

The Single Cells Section
ROBBEN ISLAND

19 May 1977

The Head of Prison
ROBBEN ISLAND

We strongly protest against the purpose for and manner in which
the visit to this prison of the local and overseas press and
television men on the 25th April was organised and conducted
by the Department of Prisons. We resent the deliberate viola=
tion of our right of privacy by taking our photographs without
our permission, and regard this as concrete evidence of the con=
tempt with which the Department continues to treat us.

On the 26th April fellow-prisoner Nelson Mandela was informed
by Major Zandberg that the Minister of Prisons had finally agreed
to the repeated requests by the press over the years to visit
Robben Island. We also learnt that the Minister had authorised
the visit provided no communication whatsoever would take place
between pressmen and prisoners.

The Minister planned the visit in the hope that it would white=
wash the Prisons Department, pacify public criticism of the De=
partment here and abroad, and counteract any adverse publicity
that might arise in the future. To ensure the success of the
plan we were not given prior notice of the visit, on that parti=
cular day the span from our Section was given the special work
of "gardening" instead of pulling out bamboo from the sea as we
normally do when we go to work. Some 30 litres of milk was
placed at the entrance to our Section, quite obviously to give
the impression that it was all meant for us, whereas in truth
we receive only 6½ litres a day.

Most of us know that a section of the press here and abroad is
sympathetic to our cause, and that they would have preferred to
handle the operation in a dignified manner. Nevertheless, the
Minister's disregard for our feelings has led to the situation
where total strangers are now in possession of photographs and
films of ourselves. The impropriety of the Minister's action is
sharpened by the Department's persistent refusal to allow us to

-2-

take and send our photographs to our own families.

We stress the fact that the way in which the Minister planned this
visit in no way differs from previous ones. IN August 1964 re=
porters from "The Daily Telegraph" found those of us who were here
at the time "mending clothes" instead of our normal work at the
time of knapping stones with 5 lb. hammers. As soon as the re=
porters left we were ordered to crush stones as usual. At the end
of August 1965 Mrs. I. de Parker from "The Sunday Tribune" found us
wearing raincoats on our way back from the lime quarry - raincoats
which were hurriedly issued to us at work on the very day of her
visit, and which were immediately taken away when she left. The
rain coats were not issued to us again until a year or so later.

We emphatically state that under no circumstances are we willing
to cooperate with the Department in any manoeuvre on its part to
distort the true state of affairs obtaining on this island. With
few exceptions our span has been kept inside for several months
now, but our normal work is still that of pulling sea-weed, and
the Department has given no assurance that we will never be sent
out to the quarry again.

We also cite the example of the cupboards we have in our cells.
Any television-viewer is likely to be impressed with this furniture
and would naturally give all the credit to the Department. It is
unlikely that such television-viewers and newspaper readers would
be aware that the cupboards have been painstakingly built with
crude tools in a crude "workshop" from cardboard cartons and
from driftwood picked up on the beaches by prisoners, that the costs
for beautifying them have been borne by the prisoners themselves,
and that they have been built by a talented fellow prisoner, Jafta
Masemola, working approximately 8 hours a day on weekdays at the
rate of R1,50 (One Rand fifty Cents) a month.

AtAall times wer are willing to have press and television inter=
views, provided that the aim is to present to the public a balanced
picture of our living conditions. This means that we would be
allowed to express our grievances and demands freely, and to make
comments whether such comments are favourable or otherwise to the
Department.

We are fully aware that the Department desires to protect a favourable

-3-

image to the world of its policies. We can think of no better
way of doing so than by abolishing all forms of racial discrimi=
nation in the administration by keeping abreast of enlightened
penal reforms, by granting us the status of political prisoners,
and by introducing a non-racial administration through-out the
country's prisons. With few or no skeletons to hide the Depart=
ment will then no longer stand in any need for resorting to
stratagems.

The actual execution of the plan was entrusted to Gen. Roux and in
his presence, the reporters and cameramen stormed down upon us like
excited visitors to an agricultural show. From all that we have
seen of Gen. Roux, we are convinced that he has no respect
whatsoever for our feelings and dignity. The way he handled
the visit is no different from his conduct when he visited this
prison on the 15th November 1976. On that occasion he conducted
his interviews with us individually in a cloak-and-dagger fashion
in the hope of finding us at a complete loss when confronted with
the unexpected. That there were no ugly incidents as a result
of the provocative action on the 25th April was due solely to our
sense of responsibility.

We are fully aware that we cannot prevent the publication of such
articles on prison conditions here as the Minister might authorize.
But we are equally aware that, whatever the law might be, the
taking of our photographs by the press for publication purposes or
otherwise without our consent, constitutes an invasion of our privacy.
That privacy has been blatantly violated by the very people who,
within the framework of the law, are considered to be its guar=
dians. And, having violated that privacy, the Department had the
temerity to ask us for permission to make us objects of public
scrutiny.

We stress that we are not chattels of the Prisons Department. That
we happen to be prisoners in no way detracts from the fact that we
are, nevertheless, South African and Namibian citizens, entitled
to protection against any abuses by the Department.

Finally, we place on record that we cannot tolerate indefinitely any
treatment we consider degrading and provocative and, should the
Minister continue to do so, we reserve to ourselves the right
to take such action as we deem appropriate.

-4-

F. Anthony
J.E. April
L. Chiba
T.T. Cholo
E.J. Daniels
T.M. Duweti
M.K. Dingake
M.S. Essop
J. Fuzile
K. Hassim
T.H. Ja-Toivo
A.M. Kathrada
N.R. Mandela
J. Masemola
G. Mbeki
R. Mhlaba
K. Mkalipi
W.Z. Mkwayi
A. Mlangeni
E. Motsoaledi
J. Mpanza
P. Mthembu
B. Nair
J.N. Pokela
S. Sijake
W.U. Sisulu
M.M. Siyothula
J.B. Vusani
R.C. Wilcox

« Le pire dans tout ça, c'est de m'endormir dans un lit vide et de me réveiller sans te sentir à mes côtés, de laisser passer les jours sans te voir ni t'entendre. Les lettres que je t'écris, et celles que tu m'écris en retour, sont autant de pommades qui atténuent la douleur de notre séparation. »

Extrait d'une lettre adressée à Winnie Mandela depuis Robben Island, le 26 octobre 1976

Les travaux forcés à la carrière cessent en 1977, en partie grâce aux prisonniers eux-mêmes qui faisaient exprès de travailler au ralenti depuis deux ans. Mandela peut désormais se consacrer au jardinage, à la lecture, aux courriers, aux conseils juridiques qu'il dispense autour de lui, et même à une forme de tennis improvisé dans la cour de la prison. L'image ci-dessus montre la cellule de Mandela photographiée par un journaliste en 1977. Ses livres de droit sont rangés dans une étagère en carton surmontée d'un portrait de Winnie ; la photo d'une femme Andaman qui trône sur son bureau est extraite d'un numéro du *National Geographic*, offerte en cadeau d'anniversaire par l'un de ses amis détenus. Mac Maharaj, un membre éminent du MK enfermé à Robben Island, a fabriqué le cadre en travaillant une boîte de tomates avec une lame cassée. À cette époque, Mandela est interdit d'études pour quatre ans, puni pour avoir commencé à écrire secrètement ses Mémoires qui seront publiés plus tard sous le titre *Un long chemin vers la liberté*.

1977

1970   1980   1990   2000   2010

Le 31 mars 1982, après dix-huit ans passés à Robben Island, Mandela est prié d'emballer ses affaires. Il est transféré à Tokai, dans la banlieue du Cap, et incarcéré au pénitencier de Pollsmoor dans un quartier de haute sécurité en compagnie de Walter Sisulu, Raymond Mhlaba et Andrew Mlangeni. Ahmed Kathrada les rejoint sept mois plus tard ; ils partagent une vaste cellule commune au dernier étage d'un bâtiment, munie de lits, de draps, de couvertures, d'une salle de bains et même d'une radio qui capte la BBC. La cellule s'ouvre sur le toit, où Mandela crée un nouveau potager. Les prisonniers sont autorisés à recevoir davantage de visites : en 1984, Mandela embrasse sa femme pour la première fois en vingt et un ans.

Au début des années 80, Oliver Tambo – toujours en exil à Londres – lance une campagne anti-apartheid destinée à obtenir la libération de tous les prisonniers politiques. Mandela, désormais mondialement célèbre, en est la figure de proue. La campagne « Libérez Mandela » est relayée entre autres par le *Sunday Post*, un journal sud-africain dont la pétition recueille 86 000 signatures. Les affiches ci-dessus et ci-contre proviennent de cette campagne ainsi que du mouvement anti-apartheid britannique, né pendant le procès de Rivonia. La photo p. 75 montre une manifestation anti-apartheid en Angleterre : on reconnaît sur la droite Bob Hughes, politicien travailliste et leader du mouvement.

1982

TELL MRS THATCHER

Mrs Thatcher and Mr F W de Klerk appear by kind permission of Luck and Flaw.

STOP SUPPORTING APARTHEID!

SUNDAY 25 MARCH

SOUTH AFRICA FREEDOM! NOW

Assemble Hyde Park 12-1pm
March to Trafalgar Square
Rally 2.30-4pm

ANTI-APARTHEID MOVEMENT
13 MANDELA ST · LONDON NW1 0DW · 01 387 7966

Début 1985, le président sud-africain P.W. Botha cède à la pression internationale en acceptant de libérer Mandela si celui-ci renonce officiellement à la lutte armée. Le prisonnier repousse l'offre dans une lettre lue par sa fille Zindzi, désormais âgée de vingt-quatre ans, devant une foule immense réunie au stade Jabulani de Soweto le 10 février 1985.

En novembre de la même année, Mandela est opéré d'un cancer de la prostate. Durant sa convalescence à l'hôpital, la visite du ministre de la Justice, Kobie Coetsee, montre à quel point le gouvernement craint les conséquences d'un possible décès du prisonnier. De retour en prison, Mandela bénéficie d'une cellule individuelle au rez-de-chaussée, d'où il écrit à Coetsee pour tenter d'organiser des pourparlers entre le gouvernement et le comité exécutif de l'ANC. Outre les soubresauts intérieurs, l'Afrique du Sud subit une pression internationale de plus en plus forte qui se traduit par de lourdes sanctions économiques : le gouvernement réalise que le régime d'apartheid n'est plus tenable et engage des négociations avec l'ANC par l'intermédiaire de Mandela.

« Je chéris ma liberté, mais je la chéris moins que la vôtre. Trop de gens sont morts depuis que je suis en prison. Trop de gens ont souffert par amour de la liberté. J'ai une dette envers leur veuve, leurs parents, leurs enfants orphelins, qui les pleurent encore aujourd'hui. Je ne suis pas seul à avoir souffert durant ces longues années perdues. J'aime la vie autant que vous, mais cet amour ne me fera pas renoncer à mon droit inaliénable qui est aussi le vôtre : la liberté. Je suis en prison en tant que représentant du peuple et de votre parti prohibé, le Congrès national africain. »

Extrait de la déclaration lue par Zindzi Mandela au nom de son père (stade Jabulani, Soweto, 10 février 1985)

Page de gauche : Affiche britannique anti-apartheid représentant Margaret Thatcher et Frederik De Klerk.

1985

En 1988, un grand concert pop de douze heures célèbre
les soixante-dix ans de Mandela au Wembley Stadium de
Londres. Soixante-six pays suivent l'événement en direct tandis
que les 78 000 spectateurs (photo ci-contre) entonnent
la chanson *Free Nelson Mandela*.

La même année, Mandela retourne à l'hôpital pour un accès
de tuberculose. Le 7 décembre, au lieu de retourner
à Pollsmoor, il est transféré au pénitencier Victor Verster,
près de Paarl : il y bénéficie d'un bungalow privé et d'un jardin
avec piscine où il peut recevoir qui bon lui semble.
En juillet 1989, il rend visite au président Botha et lui réclame
en vain la libération de tous les prisonniers politiques.
Élu à la présidence en septembre, F.W. De Klerk libère
dès le mois suivant huit prisonniers de Robben Island,
parmi lesquels Walter Sisulu et Ahmed Kathrada.
Deux mois plus tard, Mandela et De Klerk se rencontrent
pour la première fois.

« La prison et les autorités conspirent pour ôter

sa dignité à chaque homme. En soi, cela suffisait

pour m'assurer que j'allais survivre, car tout homme

ou toute institution qui cherche à me voler ma dignité

est condamnée à échouer. Je ne m'en séparerai

pour aucun prix, ni sous aucune contrainte. »

Extrait de *Un long chemin vers la liberté*, (Fayard, 1995)

1988

1970   1990   2000   2010

« Mes amis, mes frères sud-africains, je vous salue au nom de la liberté ! Je ne me tiens pas devant vous en prophète, mais en serviteur du peuple. Votre serviteur ! Je ne serais pas là aujourd'hui sans vos sacrifices héroïques, c'est pourquoi je promets de vous consacrer les années qu'il me reste à vivre. »

Extrait du premier discours de Mandela après sa libération, prononcé à l'hôtel de ville du Cap

Le 2 février 1990, le président De Klerk annonce la légalisation de l'ANC et de tous les mouvements de libération. Neuf jours plus tard, Mandela retrouve la liberté après vingt-sept années d'emprisonnement. La photo page suivante le montre avec Winnie à la sortie du pénitencier Victor Verster, accompagné d'une foule nombreuse qui le regarde brandir le poing, le salut de l'ANC. Quatre heures plus tard, Mandela s'adresse à 50 000 personnes depuis le balcon de l'hôtel de ville du Cap (voir photo p. 86-87) ; il exprime sa gratitude envers ceux qui l'ont soutenu pendant sa détention, et appelle la population sud-africaine à poursuivre le combat pour la démocratie. Mandela passe sa première nuit d'homme libre dans la résidence de l'archevêque Desmond Tutu, où il donne dès le lendemain une conférence de presse internationale.

1990

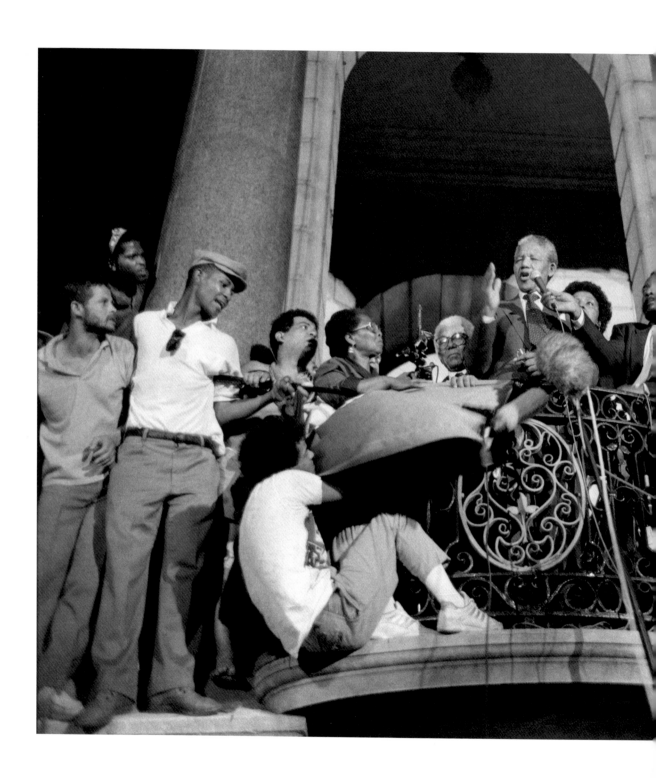

« Je sortirai d'ici et marcherai

à nouveau libre, au soleil, grâce

à la force de mon parti et

à la détermination de notre peuple. »

Extrait d'une autobiographie non publiée,
écrite en prison, en 1975

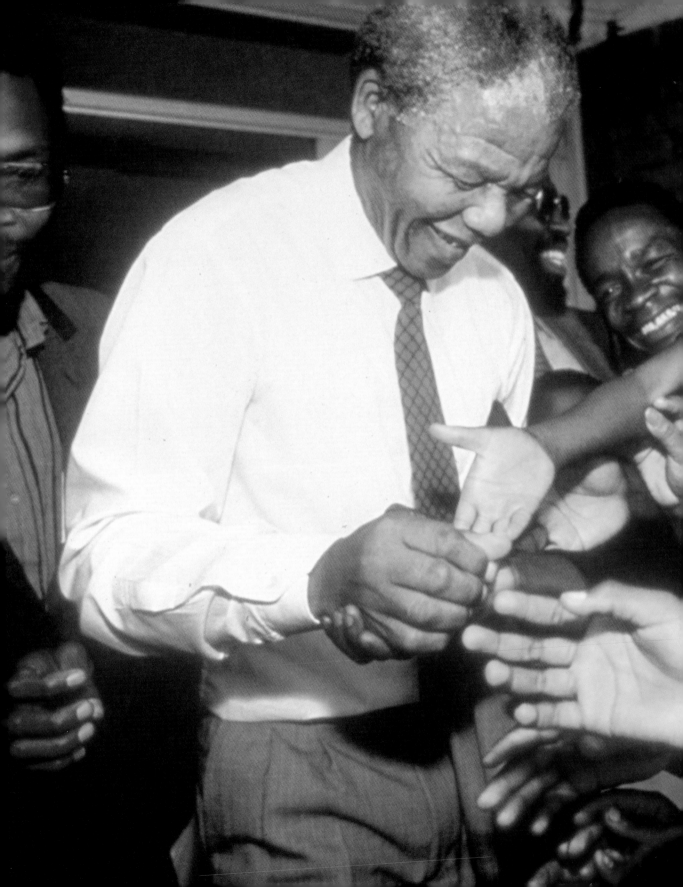

Le lendemain de sa libération, Mandela se rend à Johannesbourg et prononce un discours devant cent mille personnes massées dans un stade ; la photo de la page précédente le montre peu après cet événement en compagnie d'enfants de Soweto. Devenu un symbole mondial d'espoir et de démocratie, Mandela s'envole vers la Tanzanie, puis vers l'Égypte, la Suède et la Grande-Bretagne où il assiste à un concert pop donné en son honneur.

De retour en Afrique du Sud, Mandela reprend ses pourparlers avec De Klerk, refusant de renoncer aux sanctions internationales réclamées par l'ANC jusqu'à l'abolition de l'Apartheid et l'installation d'un gouvernement de transition.

Il repart ensuite pour une tournée de six semaines à travers quatorze pays en Afrique, en Europe et en Amérique du Nord.

Aux États-Unis, la présence de Nelson Mandela attire des foules considérables et devient un événement, comme en atteste cette une du *Time* datée du 2 juillet 1990 « Un héros en Amérique ». Lors de son discours aux Nations unies à New York il insiste sur la nécessité de maintenir des sanctions économiques contre l'Afrique du Sud, tant que l'apartheid ne sera pas abolie.

« Le monde d'aujourd'hui a besoin
de partenariats respectueux
et équitables entre nations, ainsi
que d'institutions internationales
répondant avec impartialité
aux besoins de chaque pays. »

Message enregistré pour la remise du diplôme honoraire de l'université d'État du Michigan, 29 avril 2008

1990

« [Cette parade] restera un moment inoubliable de mon séjour aux États-Unis... Je savais le peuple américain très concerné par la lutte anti-apartheid en Afrique du Sud, mais ce fut vraiment extraordinaire de le constater de visu, à peine débarqué à New York. L'émotion de ces gens, leurs propos... C'était fabuleux. J'étais sur un petit nuage. »

Extrait d'une conversation avec Richard Stengel

L'arrivée de Mandela à New York est saluée par une immense parade de 25 km de long, avec pluie de serpentins, autour de laquelle se massent 400 000 New-Yorkais. À Washington, il s'adresse au Congrès américain avant de rencontrer le Président Bush, mais se réjouit surtout de faire la connaissance de Rosa Parks, pionnière de la lutte contre la ségrégation raciale, à qui il voue une grande admiration. Il rencontre également Margaret Thatcher, Fidel Castro, François Mitterrand et le pape Jean-Paul II lors de cette tournée mondiale. Mandela rencontrera quelques années plus tard le Président Bill Clinton (photo ci-contre), et sera présent lors de son investiture en 1993.

1990

1970   1980   1990   2000   2010

« De nombreux amoureux de la paix prient chaque jour pour la fin des violences. Nous prions nous aussi, car nous savons que vous n'êtes pas sûrs de rentrer chez vous vivant après votre journée de travail. Et si vous y arrivez, vous n'êtes pas sûrs de retrouver votre famille saine et sauve, car la police et le gouvernement ne prennent pas la peine de vous protéger. »

Extrait d'un discours prononcé à Kagiso, région du West Rand, en 1991

L'Inkatha est un parti conservateur à dominante zouloue créé en 1975; la guerre qui l'oppose à l'ANC connaît un regain de violence dans les années 80 et fait des milliers de victimes. Après la libération de Mandela, les combats se déplacent de la région du Natal aux ghettos de Johannesbourg. Confronté à ce bain de sang, Mandela s'adresse à une foule de 100 000 personnes, en majorité zouloues, dans un stade de Durban trois semaines après sa sortie de prison : «Prenez vos armes à feu, vos couteaux, vos machettes, et jetez-les à la mer!» Le conflit conduit l'Afrique du Sud au bord de l'effondrement, les chefs de parti se révélant incapables de maîtriser leurs troupes. Comme le montre la photo de la page de gauche, en haut, la libération de Mandela attise également les ardeurs des militants pour la suprématie blanche, notamment à travers le Afrikaner Weerstands Beweging (AWB). Les photos ci-contre et ci-dessus montrent des combats de rue opposant des militants de l'ANC et de l'IFP.

1991

1970   1980   1990   2000   2010

Mandela est élu président de l'ANC en juillet 1991, lors du premier congrès national du parti depuis 1960. Pendant ce temps, la violence continue de secouer les ghettos : les soupçons de Mandela envers une possible ingérence du gouvernement se voient confirmés par plusieurs articles de journaux accusant la police de financer et de fournir des armes à l'Inkatha. Une conférence de paix internationale est organisée au mois de septembre ; elle réunit l'ANC, l'Inkatha et le gouvernement sud-africain, qui conviennent d'un calendrier d'actions devant mettre fin au conflit et instaurer une démocratie fondée sur le pluripartisme (la photo ci-dessus montrent Mandela et De Klerk lors de la conférence). Suite à ces décisions, la CODESA (Convention pour une Afrique du Sud démocratique) se réunit pour la première fois le 21 décembre 1991 à Johannesbourg : s'y côtoient deux cent vingt-huit représentants de dix-neuf partis politiques.

« Il n'y a pas de paix sans démocratie. »

Extrait d'un discours prononcé à l'université de Fort Hare (Alice, Afrique du Sud), 9 mai 1992

« On ne bâtit pas un pays
sur la colère et la violence. »

Extrait d'un discours prononcé au Kings Park Stadium de Durban,
le 25 février 1990

La deuxième phase de la CODESA débute en mai 1992,
mais Mandela rompt les négociations lorsque des membres
de l'Inkatha, appuyés par les forces de l'ordre, assassinent
quarante-cinq personnes le 17 juin dans le quartier noir
de Boipatong. Trois mois plus tard, une fusillade fait vingt-huit
morts et plus de deux cents blessés quand des soldats de la région
du Ciskei ouvrent le feu sur une marche de l'ANC. La photo
ci-contre montre les conséquences d'un attentat à la bombe
commis par l'AWB devant le quartier général de l'ANC
au Shell House de Johannesbourg. Désireux de mettre fin
aux massacres, Mandela et De Klerk signent le 26 septembre
1992 un accord prévoyant la mise en place d'un gouvernement
de transition et la convocation d'une assemblée constituante.

1992

1970   1980   1990   2000   2010

Chris Hani, l'un des plus célèbres militants noirs anti-apartheid, membre de l'ANC et du Parti communiste, est assassiné devant chez lui à Johannesbourg le 10 avril 1993. Le coupable, un immigré polonais, est arrêté quelques minutes plus tard grâce à une voisine qui a relevé le numéro de la plaque d'immatriculation. Ce meurtre déclenche aussitôt des violences qui se soldent par soixante-dix victimes. Mandela apparaît en pleine nuit à la télévision nationale pour éviter l'embrasement : « Je m'adresse du plus profond de mon cœur à chaque Sud-Africain, qu'il soit noir ou blanc. Un homme blanc, pétri de haine et de préjugés, est venu dans notre pays commettre un crime si affreux que notre nation toute entière tremble sur ses bases. Et c'est une femme afrikaner qui a risqué sa vie pour que cet assassin soit traîné en justice. » Cette intervention digne d'un chef d'État est considérée par beaucoup comme le moment clé où l'ANC prend les rênes du pouvoir.

En décembre 1993, De Klerk et Mandela reçoivent le prix Nobel de la paix (sur la photo ci-dessus, l'archevêque Desmond Tutu regarde l'événement à la télévision) en récompense du processus de paix entamé en Afrique du Sud. Mais la relation entre les deux hommes n'est pas si harmonieuse qu'ils voudraient le faire croire, surtout que Mandela est déjà considéré par de nombreux observateurs locaux et internationaux comme le prochain président sud-africain.

« Nous sommes aujourd'hui les représentants de nos millions de concitoyens qui ont osé s'élever contre un système social fondé sur la guerre, la violence, le racisme, l'oppression et la misère imposée à tout un peuple. »

Cérémonie de remise du prix Nobel de la paix (Oslo, 10 décembre 1993)

1993

1970   1980   1990   2000   2010

« Le 27 avril 1994, pour la première fois dans l'histoire de notre pays, tous les Sud-Africains seront appelés aux urnes, quelles que soient leur langue, leur religion, leur culture, leur couleur de peau ou leur classe sociale. Et parmi eux, des millions de personnes qui n'avaient jamais eu le droit de vote. Moi-même, à cette occasion, je voterai pour la première fois de ma courte existence. »

Annonce de la date des premières élections libres (Kempton Park, Afrique du Sud, le 17 novembre 1993)

Mandela et l'ANC entrent en campagne dès la date des élections connue, comme le montre la photo de la double page précédente. Le 27 avril 1994, Mandela participe aux premières élections libres organisées en Afrique du Sud. Sur la photo ci-dessus, des citoyens de toutes origines patientent pendant des heures afin de mettre leur bulletin dans l'urne. Mandela vote au Lycée Ohlange, près de Durban, un établissement créé par John Langalibalele Dube, président fondateur de l'ANC; il se rend ensuite sur la tombe de Dube, toute proche, et déclare : «Monsieur le Président, je suis venu vous dire que l'Afrique du Sud est désormais un pays libre.»

1994

1970   1980   1990   2000   2010

L'élection est un triomphe pour l'ANC, qui remporte 62,6 % des suffrages et obtient 252 des 400 sièges du nouveau parlement. Le 9 mai 1994, Mandela prête serment au Cap, devenant ainsi le premier président noir d'Afrique du Sud après trois siècles de domination blanche. Le lendemain, il prend officiellement ses fonctions à Pretoria devant des représentants de cent quarante pays.

Sa fille Zenani à son côté, il promet d'œuvrer pour la réconciliation en Afrique du Sud, parle du « désastre humain » de l'apartheid et appelle ses concitoyens au pardon, devant une foule qui l'acclame en poussant des youyous. La photo de la page de gauche montre Mandela main dans la main avec ses deux vice-présidents, Thabo Mbeki et De Klerk. La « nation arc-en-ciel » fait la fête tandis que des avions survolent le site en laissant derrière eux des sillages aux couleurs du nouveau drapeau : noir, blanc, vert, rouge, bleu et or.

1994

« Ce pays magnifique ne connaîtra jamais, jamais, jamais plus l'oppression de l'homme par l'homme... Le soleil brillera pour toujours sur cette immense réussite humaine. Que la liberté règne enfin ! »

Extrait du discours d'investiture, Pretoria, le 10 mai 1994

1994

« L'heure est venue de soigner nos blessures. L'heure de combler l'abîme qui nous sépare. L'heure de construire ensemble. »

Extrait du discours d'investiture, Pretoria, le 10 mai 1994

Fidèle à ses idéaux de réconciliation, Mandela rencontre en 1995 de nombreuses personnalités du régime d'apartheid, parmi lesquelles l'ancien président Botha – qui avait refusé la libération des prisonniers politiques – et Percy Yutar, procureur du procès de Rivonia. Il effectue également un déplacement officiel à Orania, ville 100 % blanche, où il prend le thé avec Betsie Verwoerd (photo ci-contre), la veuve du docteur Hendrik Verwoerd, ancien Premier ministre et successeur de D.F. Malan, lequel avait fait voter une série de lois racistes après sa prise de pouvoir en 1948.

1995

« Le sport nous permet de surmonter nos vieilles divisions pour créer des aspirations communes. »

Banquet de la Coupe d'Afrique de football, Afrique du Sud, 1er mars 1996

Présent sur tous les fronts, Mandela gagne le cœur des Afrikaners en foulant la pelouse de l'Ellis Park de Johannesbourg, vêtu d'un maillot des « Springboks » – l'équipe nationale – le jour de la finale de la Coupe du monde de rugby 1995 (photo ci-contre). Le rugby était un sport ségrégationniste, joué par les Blancs et honni par les Noirs : dans les années 80, l'ANC avait poussé la fédération internationale à bannir l'Afrique du Sud de ses compétitions tant que l'apartheid resterait en vigueur. Fin stratège, Mandela décide de transformer le rugby en force unificatrice, même s'il doit pour cela convaincre aussi bien les dirigeants sportifs que ses alliés réticents. Les Springboks remportent la finale ; Mandela rentre sur le terrain pour serrer la main au capitaine victorieux tandis que les spectateurs extatiques hurlent « Nelson ! Nelson ! »

« La Commission de vérité et
de réconciliation nous entraîne
sur un chemin difficile qui nous
aide à mieux comprendre notre passé
douloureux. Ce processus restera sans
doute incomplet, approximatif,
mais il nous libérera des chaînes
du passé pour nous laisser voguer
vers un avenir glorieux. »

Vœux du nouvel an, 31 décembre 1998

Toujours en 1995, Mandela met en place la Commission de vérité et de réconciliation, vouée à enquêter sur les atrocités commises à l'époque de l'apartheid. Elle pose comme principe que la nouvelle société doit se construire sans vengeance, et offre donc l'amnistie à toute personne prête à avouer ses crimes. Les audiences publiques durent cinq ans, de 1996 à 2001 ; les victimes viennent raconter leur histoire et assister aux confessions, ce qui permet à de nombreuses familles d'apprendre enfin quand et comment leurs proches ont trouvé la mort. La commission recueille les témoignages de 21 000 victimes et 7 100 criminels, parmi lesquels seuls 1 146 seront effectivement amnistiés. La photo ci-dessus montre Mandela et Mgr Desmond Tutu, président de la commission, lors de la remise d'un premier rapport en 1998.

« Dans chaque jardin, il y a une fleur plus belle que les autres. Et dans le précieux jardin des messages de réconfort que l'on m'envoie, votre lettre est cette fleur... Nous nous rencontrerons un jour, sur le chemin du combat ou sur la grande route de la liberté, et je plongerai mes yeux dans les vôtres en vous exprimant ma gratitude. »

Extrait d'une lettre de Graça Machel adressée à Nelson Mandela, alors en prison, en réponse à sa lettre de condoléances à la mort de son époux Samora Machel, ancien président du Mozambique, en 1986

Mandela épouse Graça Machel le 18 juillet 1998, jour de son 80e anniversaire. Il avait divorcé de Winnie en 1996 après une séparation « pour raisons personnelles » annoncée en conférence de presse dès 1992. Machel, veuve du président mozambicain Samora Machel, est elle-même ancienne ministre de l'Éducation et une avocate mondialement célèbre dans le domaine des droits de la femme et de l'enfant. La photo ci-contre montre Mandela et Machel à l'aéroport d'Heathrow (Londres) en 1997.

1998

1970   1980   1990   2000   2010

« En prison, je portais le numéro 46664.
Pendant dix-huit ans, à Robben Island, on a voulu
me réduire à ce seul numéro. Aujourd'hui, des millions
de personnes atteintes du sida sont menacées d'être
réduites à de simples chiffres si nous n'intervenons pas.
Elles aussi ont été condamnées à vie. C'est pourquoi
j'ai accepté que mon numéro de prisonnier soit utilisé
dans cette campagne. »

Concert au profit de la Campagne 46664, Greenpoint Stadium,
Le Cap, 29 novembre 2003

Comme promis, Mandela ne brique pas un second mandat
présidentiel et se retire de la vie politique en 1999, ce qui ne
l'empêche pas de continuer à militer pour la paix et les droits
de l'homme, notamment à travers sa Fondation pour l'enfance.
En 2002, il devient une figure de proue de la lutte contre
le sida en Afrique lorsqu'une grande campagne de prévention
prend pour nom son numéro de prisonnier à Robben Island.
Une série de concerts est organisée à cet effet en Afrique et
dans le monde avec l'aide de Bono, chanteur du groupe U2
(photo ci-contre, prise lors d'un concert en 2003). Mandela
combat la stigmatisation des sidéens, une cause qui le frappe
de plein fouet en 2005 quand il demande aux Sud-Africains
d'y voir « une maladie comme les autres » suite à la mort de
Makgatho, son second fils, qui succombe à des complications
liées au virus HIV. La photo page suivante montre Mandela
lors du concert *It's in Our Hands* (C'est entre nos mains)
organisé à Ellis Park en 2008 au profit de la Campagne 46664.

2002

En 2008, à l'occasion de son 90e anniversaire, Mandela demande aux nouvelles générations de poursuivre la lutte pour la justice sociale. L'ensemble de son action est reconnue en 2009 par les Nations unies, qui déclarent son jour anniversaire, le 18 juillet, « Journée internationale Nelson Mandela ». La photo ci-contre le montre visitant son ancienne cellule de Robben Island en 1994.

2008

« Le soutien d'amis sur qui l'on sait pouvoir compter permet de toujours garder espoir et de surmonter les épreuves les plus cruelles. »

Extrait d'une lettre adressée à Don Mattera depuis le pénitencier Victor Verster, 4 avril 1989

Nelson Mandela lors de son 90ᵉ anniversaire, en compagnie de Boniswa Nyati et de Graça Machel, recevant des cadeaux de la Fondation Nelson Mandela.

« J'ai toujours considéré l'amitié comme un bien précieux, et il est des moments dans la vie d'un homme où elle devient cruciale car elle vous offre les clés de votre destin. »

Extrait d'une lettre adressée à Ray Carter depuis le pénitencier Victor Verster, 28 février 1989

La photo ci-contre, prise en 1998, montre Mandela à sa résidence de Houghton, une banlieue aisée de Johannesbourg, en compagnie d'Ahmed Kathrada, son ancien compagnon de cellule. Kathrada était cadre de l'ANC et du Parti communiste, ainsi que membre du comité qui organisa les voyages secrets de Mandela en 1961. Engagé également au sein du MK, Kathrada fut accusé de sabotage au procès de Rivonia, puis emprisonné avec Mandela à Robben Island et à Pollsmoor. Élu député en 1994, il conseilla Mandela durant son mandat présidentiel.

L'amitié qui unit Mandela et Walter Sisulu dura pas moins de soixante-deux ans. Sisulu eut une grande influence sur la pensée de Mandela avant de devenir dirigeant de l'ANC et d'être surnommé « le père de la lutte ». Membre éminent du MK, il fut lui aussi condamné au procès de Rivonia et envoyé à Robben Island, puis à Pollsmoor. Une fois libéré, il participa aux négociations sur la fin de l'apartheid. La photo ci-dessus, à droite montre Mandela et un Sisulu affaibli lors du lancement de la biographie *Walter et Albertina Sisulu* publiée par sa belle-fille Elinor en 1994.

Sur la photo en haut à gauche, Mandela est en compagnie de son ami Oliver Tambo, avec qui il avait ouvert le premier cabinet d'avocats noirs du pays. Tambo quitta l'Afrique du Sud dans les années 1960 pour promouvoir à l'étranger la lutte contre l'apartheid et l'action de l'ANC, avant d'initier vingt ans plus tard la campagne « Libérez Mandela ». Suite aux funérailles de Tambo en 1993, Mandela écrivit : « Une partie de moi-même est morte quand je l'ai vu dans son cercueil. »

À droite, Mandela pose en compagnie de The Elders (Les Anciens), en juillet 2008. Créé à l'initiative de l'entrepreneur Richard Branson et du chanteur Peter Gabriel, ce groupe réunit des anciens respectés cherchant à apporter des solutions aux conflits et à proposer des conseils à la communauté mondiale. The Elders fut créé de façon informelle en juillet 2007 est reste aujourd'hui un groupe de leaders du monde entier unis pour œuvrer en faveur des droits de l'homme et de la paix.

« La liberté n'est jamais acquise. Chaque génération doit la préserver et la renforcer. Vos parents et vos aînés ont consenti de lourds sacrifices pour que vous puissiez bénéficier de cette liberté sans avoir à souffrir ce qu'ils ont souffert. Utilisez-la pour repousser toujours plus loin les ténèbres du passé. »

Extrait d'un discours au parlement lors de l'ouverture du débat budgétaire, 2 mars 1999

« Sa vie tranche avec le cynisme et le désespoir

qui imprègnent trop souvent notre monde.

Le prisonnier est redevenu un homme libre,

le combattant s'est mué en partisan de

la réconciliation, le chef de parti élu président

s'est fait un devoir de prôner la démocratie

et le développement. Une fois dégagé de son mandat

officiel, il a continué à se battre pour la dignité

humaine et l'égalité des chances. Ce qu'il a apporté

à son pays et au monde est tel qu'il est bien difficile

d'imaginer ce qu'auraient été les dernières décennies

sans lui. »

Barack Obama, extrait de *Conversations avec moi-même*, 2010

CRÉDITS PHOTOGRAPHIQUES

L'éditeur a fait tout son possible pour retrouver les auteurs et ayants droit des images reproduites dans cet ouvrage. Nous présentons d'avance nos excuses pour un éventuel oubli qui ne manquerait pas d'être réparé dans les prochaines éditions.

p. 4 : Mémorial Nelson Mandela, Fondation Nelson Mandela/Alet van Huyssteen ; p. 6 : Getty Images/ Alexander Joe/AFP ; p. 12, 14, 15, 16 : Collection Duggan-Cronin, Musée McGregor, Kimberley ; p. 18–19 : Musée de Robben Island Archives Mayibuye/Leon Levson ; p. 20–21 : Elinor Sisulu/famille Sisulu ; p. 22 : Musée de Robben Island Archives Mayibuye/Leon Levson ; p. 23 : Musée de Robben Island Archives Mayibuye/ Eli Weinberg ; p. 24 : Jurgen Schadeberg ; p. 25 : Archives Bailey d'histoire de l'Afrique/Bob Gosani ; p. 26, 27, 28, 29 : Jurgen Schadeberg ; p. 30–31 : Ahmed Kathrada/Herbert Shore ; p. 32 : Musée de Robben Island Archives Mayibuye/Eli Weinberg ; p. 34–35 : Mémorial Nelson Mandela, Fondation Nelson Mandela, avec l'aimable autorisation du Palais de Justice de Pretoria ; p. 37 : Jurgen Schadeberg ; p. 38 : Musée de Robben Island Archives Mayibuye/Eli Weinberg ; p. 39 : Archives Bailey d'histoire de l'Afrique/Alf Kumalo ; p. 40, 41, 42–43, 45 : Musée de Robben Island Archives Mayibuye/Eli Weinberg ; p. 46 : Alf Kumalo ; p. 48, 49 : Musée de Robben Island Archives Mayibuye/Eli Weinberg ; p. 51 : Musée de Robben Island Archives Mayibuye/Mary Benson/IDAF Collection ; p. 52 : JonCom Publications ; p. 53 : Musée de Robben Island Archives Mayibuye/Eli Weinberg ; p. 54 : Mémorial Nelson Mandela, Fondation Nelson Mandela, avec l'aimable autorisation du Palais de Justice de Pretoria ; p. 55 : Archives nationales d'Afrique du Sud, avec l'aimable autorisation de la Fondation Nelson Mandela ; p. 56 : Archives du procès de Rivonia, avec l'aimable autorisation de la bibliothèque de l'Université de Witwatersrand ; p. 58–59 : Musée de Robben Island/Matthew Willman ; p. 60–61 : Musée de Robben Island Archives Mayibuye/Cloete Bretenbach ; p. 62 : Musée de Robben Island/Matthew Willman ; p. 64 : Cloete Bretenbach ; p. 66 : Fondation Nelson Mandela ; p. 67 : Mémorial Nelson Mandela, Fondation Nelson Mandela, avec l'aimable autorisation du Palais de Justice de Pretoria ; p. 68 : Fondation Nelson Mandela ; p. 69, 70, 71, 73 : Archives nationales d'Afrique du Sud, avec l'aimable autorisation de la Fondation Nelson Mandela ; p. 74–75 : auteur inconnu ; p. 76, 77, 78 : Archives nationales d'Afrique du Sud, avec l'aimable autorisation de la bibliothèque de l'Université de Witwatersrand ; p. 80–81 : Musée de Robben Island Archives Mayibuye/Collection IDAF ; p. 82, 84–85 : The Bigger Picture/Graeme Williams/South ; p. 86–87 : The Bigger Picture/Chris Ledochowski/South ; p. 88–89 : Trace Images/Louise Gubb ; p. 90 : Getty/Bill Foley/Time Life Pictures ; p. 92 : Bibliothèque présidentielle Clinton ; p. 94 : Corbis/Louise Gubb ; p. 96 (en haut) : The Bigger Picture/Graeme Williams/South ; p. 96 (en bas), 97 : The Bigger Picture/Greg Marinovich/South ; p. 98 : Trace Images/Louise Gubb ; p. 100–101 : The Bigger Picture/John Robinson/South ; p. 102 : Trace Images/Louise Gubb ; p. 104–105 : Corbis/Peter Turnley ; p. 107 : The Bigger Picture/Paul Weinberg/South ; p. 108–109 : Trace Images/Denis Farrell ; p. 110 : Guy Stubbs ; p. 111 : The Bigger Picture/Juda Ngwenya/Reuters ; p. 112 : The Bigger Picture/Paul Weinberg/South ; p. 115 : PictureNet/Henner Frankenfeld ; p. 116 : PictureNet/Paul Velasco ; p. 119 : The Bigger Picture/Juda Ngwenya/Reuters ; p. 120 : The Bigger Picture/Reuters ; p. 122–123 : Trace Images/Karin Retief/Cape Argus ; p. 124–125 : auteur inconnu ; p. 126–127 : Jurgen Schadeberg ; p. 128 : Mémorial Nelson Mandela, Fondation Nelson Mandela/Debbie Yazbek ; p. 131 : Mémorial Nelson Mandela, Fondation Nelson Mandela/Debbie Yazbek ; p. 132 (à gauche) : Getty Walter Dhladhla/AFP ; p. 132 (à droite) : Corbis/Hans Gedda ; p. 133 : Mémorial Nelson Mandela, Fondation Nelson Mandela/Alet van Huyssteen ; p. 134 : Mémorial Nelson Mandela, Fondation Nelson Mandela/Matthew Willman.

REMERCIEMENTS

Nous remercions chaleureusement celles et ceux qui ont contribué à la réalisation de cet ouvrage, et plus particulièrement Sahm Venter, Lucia Raadschelders, Sello Hatang et Verne Harris du Nelson Mandela Centre of Memory, garants de l'exactitude des présentes informations.

Nous remercions également les ayants droit des ouvrages et écrits ci-dessous pour l'aimable autorisation de reproduction. Nous présentons d'avance nos excuses pour un éventuel oubli qui ne manquerait pas d'être réparé dans les prochaines éditions.

Page 5 : extrait d'un discours du Président Bill Clinton, prononcé lors de la visite officielle de Nelson Mandela à la Maison-Blanche.

Pages 7 à 10 : préface de l'archevêque Desmond Tutu à l'ouvrage *Mandela, le portrait autorisé* (Acropole, 2011)

Page 13 et suivantes : citations de Nelson Mandela extraites de divers écrits, interviews et discours, utilisées (sauf exception dûment mentionnée) avec l'aimable autorisation de Nelson R. Mandela et de la Fondation Mandela.

Page 19 : Mike Nichols, extrait de l'ouvrage *Mandela, le portrait autorisé* (Acropole, 2011)

Page 63 et suivantes : extraits de l'ouvrage *Un long chemin vers la liberté* (Fayard, 1995), avec l'aimable autorisation de Nelson R. Mandela.

Page 121 : extrait d'une lettre de Graça Machel adressée à Nelson Mandela, tiré de l'ouvrage *Samora Machel : A Biography* (Panaf Great Lives), Iain Christie, Zed Books, London, 1990. Reproduit avec l'aimable autorisation de Zed Books.

BIBLIOGRAPHIE SÉLECTIVE

Un long chemin vers la liberté (Nelson Mandela, Fayard, 1995)

Conversations avec moi-même (Nelson Mandela, La Martinière, 2010)

Nelson Mandela by Himself : The Authorised Book of Quotations (Macmillan Publishers, London, 2011)

Ouvrage conçu et produit par PQ Blackwell Limited
116 Symonds Street, Auckland 1010, Nouvelle-Zélande
www.pqblackwell.com

Copyright © Nelson R. Mandela
Citation p.137 © Barack Obama

Ouvrage publié sous la direction de Jean-Louis Festjens
Traduit de l'anglais par Claude Mamier
© Editions Michel Lafon, 2013

Imprimé en Chine par 1010 Printing International Limited

ISBN 978-2-7499-2067-2
Dépôt légal : octobre 2013
LAF 1801